Emocie stimula, larmoplena
La novelo de KIM Hoon

Ĉina Esperanta Kontrasta Traduko

姐姐的绝经期

Menopaŭzo de la Fratino

verkis KIM Hoon

金勋（韩国）作者

중국어-에스페란토 대역본 언니의 폐경(姐姐的绝经期)

인 쇄 : 2023년 5월 15일 초판 1쇄
발 행 : 2023년 5월 22일 초판 1쇄
지은이 : 김훈(KIM Hoon)
옮긴이
 ― Ĉina : 张伟(ZHANG Wei)
 ― Esperanto : 장정렬(Ombro)
교열(校对) : 徐杰(XU Jie)
표지디자인(封面设计) : 刘同顺(LIU Tongshun)
펴낸이 : 오태영(Mateno)
출판사 : 진달래
신고 번호 : 제25100-2020-000085호
신고 일자 : 2020.10.29
주 소 : 서울시 구로구 부일로 985, 101호
전 화 : 02-2688-1561
팩 스 : 0504-200-1561
이메일 : 5morning@naver.com
인쇄소 : TECH D & P(마포구)

값 : 10,000원(50CNY)
ISBN : 979-11-91643-91-6(43890)

Emocie stimula, larmoplena
La novelo de KIM Hoon

Esperanta Ĉina Kontrasta Traduko

姐姐的绝经期

Menopaŭzo de la Fratino

verkis KIM Hoon
Esperanto：JANG Jeong-Ryeol
Ĉina：ZHANG Wei(张伟)

korektis XU Jie(徐杰)

出版商 金达莱
Eldonejo Azalea

esperanta korea kontrasta traduko

목 차

关于作者

金勋(1948-)

小说家、记者、自行车选手和世界语大使之一——信息来自
KEA。

出生于首尔，以小说家身份出道 1995年，发表长篇小说《回
忆》结合设计的粘土容器'在报纸《文鹤洞》。

2001年凭借长篇小说《剑之歌》获得东仁文学奖，2004年凭借
短篇小说《火葬》获得我唱文学奖。这是韩国最受欢迎的书。

凭借《姐姐的更年期》，他还获得了 2005 年的 黄顺元文学
奖。它讲述了两个 50 多岁的姐妹独自生活的故事。 姐姐是
个寡妇，在飞机失事中失去了丈夫。 而后来出生的妹妹在丈
夫的要求下离婚了。

他们受过良好的教育和智慧，虽然脆弱，却安静地度过了生
命的黄昏。

"这部短篇小说的最突出之处在于，具有女人味的作者非常微
妙而细腻地描述了一种生命衰老的现象。

或许他会是第一个，不分男女，将50岁女性的身体变化和内
心描写得如此不夸张又令人信服。"1)

---

1) KIM Chisu："第5届黄顺元获奖作品善原文学奖 p. 368

Pri la verkinto

KIM Hoon(1948-)

Romanisto, ĵurnalisto, bicikl -konkurenculo kaj unu el ambasadoroj de Esperanto- informado de *KE*A.

Li naskiĝis en Seulo kaj debutis kiel romanisto en 1995, publikigante la romanon 'Rememoro de Argiltera Ujo kun Kombildenta Desegno' en la gazeto「Munhakdongne」.

Li ricevis la literaturan premion Dong-in per la romano 'La Kanto de la Glavo' en 2001 kaj tiun de I Sang per la novelo "Kremacio" en 2004. Liajn verkojn reprezentas la romano 'La Kanto de la Glavo', kiu estas la plej furora libro en Koreio.

Per 'Menopaŭzo de la Fratino', li ricevis ankaŭ la literaturan premion HWANG Sunwon en 2005. Ĝi enhavas la rakonton pri du fratinoj, kiuj havas la 50ajn jaraĝojn kaj vivas solaj. La pliaĝa fratino estas vidvino, kiu perdis sian edzon pro akcidento de aviadilo. Kaj la poste naskita fratino estas eksedziniĝinta laŭ la postulo de sia edzo.

Ili estas kleraj kaj saĝaj, kiuj, kvankam delikatsentemaj, kviete trapasas la vesperon de sia vivo.

"La novelo estas plej elstara, kiun la aŭtoro kun virina senso priskribis maljuniĝantan fenomenon de vivo tre subtile kaj delikate.

Eble li estus la unua, senkonsidere de virinoj kaj viroj, kiuj tiel netroigante kaj konvinkeble priskribis la korpan ŝanĝiĝon kaj la internan flankon de 50aj jaraĝulinoj."[2]

---

2) KIM Chisu: 「La Premiitaj Verkoj en la 5a Literatura Premi HWANG Sunwon」 p. 368

人的生老病死的描述

金勋

在我看来，人的一生就像一团不可分割的乱麻一样的过程，生老病死。
在生命中隐藏着死亡，生病后的死亡是生命最原始的过程。

在秋天我没能找到蚱蜢和蜻蜓的尸体，尽管我寻遍了它们飞来飞去，又悄然死去的土地。

和它们类似的还有那些衰老死亡的鸟儿，似乎是时间把他们带走了。

我蜗居的村庄上面，天空的晚霞还没有消退的意思，宽阔流动的的河面也被染成一片红色，远处，河水与大海交会，随着时间的流动，彩霞燃烧过的傍晚渐渐暗了下来。

如果时间随着在河对岸耀眼夺目美丽无比的晚霞渐渐地消失在黑暗中的时候，我就坐在时间的脚下。

来往的飞机消失在阳光灿烂的晚霞中，鸟儿也飞回了树林。我总是一个人在河边独自玩耍。

我居住村庄旁的这条河弯弯曲曲地在河床上流淌着。

它向着大海的方向流动此时还没有到达入海口，而当海水涨潮倒灌时，河水就全部的紧紧的和大海拥抱在了一起。

虽然看不到大海，逆流而上的潮水也看不出是来自远处的大海，迅速涌到河流的最窄处，随着潮水而飞来的海鸥，仿佛也企图阻挡着河水的流动。
远去的时光不再重现，仿佛海水推动着海水自己沿着河道上行，艰难地喘不过气来。那些沿着河道向上游动的鱼儿当落潮的时候，又游回了大海。

鱼儿是周期性按时沿着河道上下游动的，而我却不能像鱼儿在它们的生命周期里那样遵守时间的。

天已经变黑了，我仍然坐在河边注视着那些返回游向大海的鱼儿。

《姐姐的绝经》这本小说是我在河边居住生活的这一段时期写成的，晚霞，清风，河水让我思绪万千。

我想要描述的是女人在生老病死的生命长河中所表现出的美好和无奈。

我想要描述的是一个远去的故事，在它消失的最后一刻重现。

我想要描述的是女人身体中自然而然地散发出的委屈和悖论。

我想要描述那些既离不开女人又压迫，贬低女人的根深蒂固的偏见和原因。

我想描述女人在历史长河中产生而又消失所留下的生活的痕迹。

我希望我的作品不是暴露，而是展现，是和时间一起存在而隐匿在黑暗之中的真实，就像风，彩虹。

当我接触到女性主题的时候，我总是优柔寡断，犹豫不决。我不能完全彻底地描述出女性的所思所想。

我总想要描述年轻女性的美好和她们的理性和非理性；但这往往让我感到语言上的捉襟见肘。当我完成这部作品的时候，几乎口吃，有点不会说话了。

美好的事物，生活的充实总是离我或近或远，像一个绝对的局外人。我从开始的无所适从渐渐地被这些美好所唤醒。

这就像远处的大海推动着地面的河水，晚霞隐没在落日的余晖，从来也没有感觉到的东西穿越遥远的时空，向我涌来。

我仍然不明白为什么最初并不存在的东西会让我感觉难过悲伤。

在我写作《姐姐的绝经》时，不可能不收集女人生活中的那些零零落落的平凡小事，例如：月经带，化妆品，手袋，毛线衫，头发，烹饪术等等。

这些零七八落的信息都是我从报纸杂志，电视购物广告等媒介收集而来。

我带着极大的热情仔细阅读这些杂志报纸，上面充斥着各种卫生巾和化妆品的销售广告。

我的妻子总是讪笑我，可我并不觉得好笑。我总是从观察了解女人生活中的这些并不轰轰烈烈却须臾不可离开的琐事的图景中感到开心和快乐。

生活并不总是光芒四射，而是平平常常，我们对生活的小事要给于足够的敬畏。是啊，当我注意到敬畏这个词的时候，我觉得我被感动了，我们对敬畏这个词分别的太久了。

不仅仅是对这个词本身，而且对敬畏这个词的态度和行动都弃之不顾，对吗？虽然生命中的每时每刻都是新奇的，穿过生老病死的分分秒秒都是命中注定的，我仍然希望，在我的故事中的角色对经历的时光都是虔诚的。

我希望我的读者在走近《姐姐的绝经》中两位不太年轻的女性时，给予他们足够的尊敬，社会对她们的偏见和他们在生老病死的过程中所受到的委屈应该得到足够的理解。

Antaŭparolo de verkinto

Desegno de Naskiĝo-Maljuno-Malsano-Morto

KIM Hoon

La vivo, sentiĝas al mi, estas komplekso da unu implikita bulo, ne disigante en si naskiĝo-maljuno-malsano-morton.

En la vivo jam embuskas la morto, kaj la morto post malsano estos tia origina proceso de la vivo. En aŭtuno mi ne povis trovi la kadavrojn de akridoj kaj libeloj, malgraŭ mia serĉado en la kamparo, kien ili iras kaj, kie, poste, ili mortas. Tia samas la morto de maljunaj birdoj. Tiuj ŝajne malaperigas sin en la tempo.

Ĉielruĝo de mia loĝita vilaĝo estas sencela. Ĉielruĝo, kiu kovras la enfluejon de la larĝa rivero, kie tiu rivero renkontas kun la maro, mallumiĝas fluante en la tempon de forbrulanta vespero. Se la tempo malaperas, sekvante la ĉielruĝon, en la alian flankon de la mallumo, mi, kiu ĝis tiam ludis ĉe la rando de la rivero, sidas ĉe la piedoj de la tempo. Aviadiloj forlasas al sunsubira ĉielruĝo, kaj la birdoj revenis al la arbaro. Ĉe la rando de la vespera rivero mi ĉiam sola ludis.

La rivero de mia loĝita vilaĝo estas serpentuma

rivero, kiu rampas la plankon de la tero. La rivero apenaŭ ligas sian fluon kaj atingas la enfluejon. Je fluso, la rivero, plene brakumante la maron, ŝveliĝas. Kvankam ne vidiĝas la maro, la novaĵo, kiu estas ne vidita de la fora maro, atingas mallarĝan riveron, kaj laŭ la novaĵo la birdoj de la maro supren venas kontraŭ la fluo de la rivero. Kiam la partikloj de la tempo ne vidataj pro foro, laŭ la mara akvo puŝas sin supren de la rivero, la rivero sentas sin malfacila je spiro. La fiŝoj irintaj al supro de la rivero revenas al maro, kiam okazas malfluso. Fiŝoj, laŭ la tempo, iras al rivero kaj venas de la rivero, tamen mi ne povis atingi la tempon, kiu fluas en la vivon de la fiŝo. Ĝis mallumiĝo mi, ankoraŭ sidanta ĉe la rando de la rivero, rigardis la revenantajn fiŝojn al maro.

La romano "Menopaŭzo de la Fratino" estis verkita en mia periodo, kiam mi loĝis ĉe la rando de la rivero, kun la rivero, ĉielruĝo kaj vento. Mi volis priskribi la triston kaj la belon de la vivo de la virino, trapasanta, fluate de la fluo de la naskiĝo-maljuno-malsano-morto, la enon de la tempo de la vivdaŭro. Mi volis priskribi foran novaĵon de refoje denovaj naskitaĵoj en la lasta fino de la malapero. Mi volis priskribi la subpremojn kaj paradoksojn de la vivoj elvenantaj el la korpodoroj de la virinoj. Mi volis priskribi la desegnon de tiuj subpremoj kaj paradoksoj kiuj ensidiĝas en la vivojn de la virinoj. Mi volis priskribi la ruinojn, kiujn la efloreso kaj kreo forpelitaj de la tempo postlasis en la vivon de la virino. Kaj mi deziris, ke mia verko ne estu klarigo sed estu fluo, sed fariĝu postsigno malaperanta en la mallumon, kun meto sur la tempo, same kiel vento kaj ĉielruĝo.

Kiam mi temas pri la virino, mi ĉiam sentas min hezitema. Mi ne komplete disvolvas la penson pri la virino. Mi ĉiam volis priskribi la belon de juna virino kaj ties ordon kaj malordon; La vortoj ne facile povis konstruiĝi. Mi ĉiam finis la verkon, balbutante kvazaŭ duona mutulo.

La belaĵoj kaj la vivplenaĵoj ĉiam proksimiĝas al mi, kiel absolutaj aliuloj. Tiuj vekas al mi la dekomence mankajn aĵojn. Same tiaj, ke fora maro premas la riverakvon de la tero, ke ĉielruĝo malaperas enon de la sunsubira tempo, la dekomence mankaj aĵoj, trans la fora tempo-spaco, proksimiĝas al mi. Mi ne ankoraŭ scias, kial la malekzisto de la dekomence mankaj aĵoj sentiĝas al mi trista.

Mi, verkanta "Menopaŭzo de la Fratino", ne devis ne kolekti la informojn de multaj bagatelaĵoj, kiuj konsistas el la vivo de la virinoj: menstrua vindtuko, kosmetikaĵo, mansako, svetero, haroj, kuirarto, ktp. Mi, per gazetoj por virinoj aŭ per la propagando de la TV hejma aĉetreklamo kolektis informojn pri tiuj bagatelaĵoj. Mi entuziasme legis tiujn gazetojn, en kiuj oni propagandas la menstruan vindtukon kaj kosmetikaĵojn. Mia edzino ridis, sed mi ne povis ridi. Mi de tempo al tempo sentis min felica, pensante la desegnon kaj malterialsenton de la tiuj bagatelaĵoj kovrataj en la vivo de la virino. La vivo ja povas esti pieca eĉ antaŭ bagatelaĵoj. Ha, mi sentas min kortuŝita, kiam mi notas la vorton pieco. Pieco estas jam la nia delonge forĵetita vorto. Ne nur forĵeto de la vorto sed ankaŭ la forĵeto de ĉiu ago kaj sinteno koncerne al la vorto pieco, ĉu ne? Kvankam ĉiu tempo enfluinta en la vivon estas ĉiam nova, kaj trapasi naskiĝo-maljuno-malsano-morton kune kun tiuj novaj tempoj estas la destino de la vivo, mi esperis, ke miaj roluloj en mia rakonto estu piaj en la novaj tempoj.

Mi deziras al legantoj alproksimiĝi tia, ke la du maljuniĝantaj virinoj en mia verko "Menopaŭzo de la Fratino" estu en si la piaj estaĵoj en sia pereiĝo kaj la subpremo de la mondo, en la malfacilo de naskiĝo-maljuno-malsano-morto.

姐姐的绝经期

金勋（韩国）作者

张伟(ZHANG Wei) 译

徐杰(XU Jie) 校对

我的姐姐经常来我家，来了就整晚上坐在阳台窗前面的桌子旁。

一晚上她会说点什么，其实又什么也没说，但是似乎她的嘴巴在晚上不张开就能说话。

根据一本女性杂志上的一篇特别关于更年期的文章介绍，女性在进入更年期的时候一般在晚间都会无缘由地烦躁、兴奋。
我不知道我姐姐的这种状态是否和更年期综合征有关。
差不多她晚上说的每一个词都没有什么特定的含义。

她说的话就像傍晚的彩霞和微风一样，在远一点的地方既听不懂也听不见。或者可以这样定义，她说的那些话根本听不见，而是像耳边风一样飘走，因而我一般是不接她的茬。
"妹妹，飞机就像一条鱼，看那两个鱼鳍。"，姐姐一边看着窗外的飞机一边说，那架飞机正穿过江华岛上空的晚霞，它是从金浦机场飞起来的，看上去像一条大鲨鱼漂浮在汉江入海口上的天空。她持续地看着江华岛上空的这条大鲨鱼渐渐变成了小鲫鱼，最后消失在浓浓的晚霞中。

"妹妹，它真像一尾柳条鱼，头部闪亮，尾巴也点起了一盏灯，快看。"

她向我喊："妹妹"，但是，身体并没有转向我，而是一直望着窗外。

在她观察窗外的时候，我在往餐桌上准备晚餐。

"妹妹，它看不见了，似乎穿越走了？"

远处的汉江在入海口处渐渐变宽，鸟儿们纷纷聚集在晚间退潮后露出来的低洼地里。山脉的阴影渐渐地收缩变小，慢慢地退回西海，随着傍晚的黄昏变得越来越模糊。在晴朗的日子里，霞光会布满一望无际、空空如也的天空。相反，在阴天的时候，彩霞无影无踪，人们就什么也看不到了。那些越来越小的飞机最后都彻底地消失在彩霞深处，而晚间到达的飞机却一点一点地从晚霞中显露出来，渐渐地向金浦机场靠近。阳台窗外的天空，在我姐姐自言自语的叙述中，就像一个水族馆，鱼儿在里面游来游去。

"旅客真的在飞机里面吗？"

直到晚霞彻底消失，金浦市已是万家灯火的时候，姐姐都一直在看着晚上的天空。

我在桌子上给她或者放红酒或者是热牛奶，她只是偶尔用嘴唇碰碰杯子边缘。

年复一年，我姐姐的口味变得越来越挑剔，从她年轻的时候起，她就一直不能忍受烤
肉的烟味。自从她绝经期开始，只要是发

现泡菜汤里面有一点猪肉，她就断然拒绝 喝这个汤。

甚至即使我先把肉从汤里面挑出来，她也能
通过汤的味道辨别出里面有肉的成分。

姐姐平时既不吃肉也不吃有腥味的鱼，自
从她进入成年期，几乎就是这样。
春天的时候她喜欢吃大米为主的混米饭，
配菜是蘸着酱油和芝麻盐吃的切碎的大蒜 和荠菜。
夏天的时候她喜欢吃汤泡饭，里面放些腌制的小虾或者
加了调料的海白菜。
还有一道姐姐夏天喜欢吃的是辣椒酱蘸腌 黄瓜。

在姐姐的饮食中她从没有微词的是油煎干鲲鱼、欧芹做
的水泡菜和油煎藕片。

她的丈夫是两年前去世的，生前是位于南海自由经济区
钢铁公司的董事。我的这位姐夫整个一生都在这家企业
工作，从部门主管升职为公司主管，他负责的业务不是
进口铁矿石原料就是出口铁制品。自从升任主管商务的
董事会领导成员的职位以后，他主要负责劳资纠纷和人
事管理工作，手下管理着一万多名员工。

他总是系着领带，上面有公司的标识，在上衣胸口处别
着公司的徽章。

可以说我的姐夫几乎把整个的生命都献给了位于南海旁的这家企业，
只有在周末或者节假日才回到首尔。

每次当他回家的时候，他会买回来被他称之为欧芹的海水植物、鳀鱼、海白菜和褐色的海藻，
嘴里不断地说只有南海才能长出这样独特香味的欧芹。

因此姐姐过去经常送给我用欧芹和其他蔬菜做的水泡菜，以及拌有酸辣椒和酱油的香喷喷的油煎干鳀鱼。

水泡菜的汤汁呈现着淡淡的紫色，这是由于紫甘蓝蔬菜汁渗出的结果。腌制后的欧芹口感软软的，而且仍然能品尝出叶绿素里面大地和阳光的芳香。
我一个人生活，怎么能吃得完姐姐送来的这么多东西呢？

我只好喊来快递，把这些东西送给了我叔叔。

我姐夫通常都是坐飞机回首尔的，公司会给他报销机票。
但是两年前，在中秋节过后，他乘坐飞机回公司的途中遭遇了飞机失事，不幸身亡。

我姐姐年轻的时候就考取了驾照，但从来不开车，只有

在姐夫回家的时候，她才驾车去金浦机场接送她的丈夫
。

在姐夫出事那天，也是姐姐开车送他去的机场。
飞机在金浦机场起飞50分钟后没有能在目的地机场成功
降落，与附近的山头相撞并坠毁。

一百五十名乘客中，有一百三十名遇难。
当我到达出事现场的时候，姐姐瘫软在地，完全无法站
起来。

119搜救队员从山上用担架往下面运送收集到的尸体和
零散的肢体。和其他人比起来，我姐夫的尸体相对完整
。

多亏了领带上公司的标识，他的身份很快得到了确认。
根据航空公司提供的旅客名单，我姐夫的座位号是A-6
。

A排上的六名乘客全部死亡，但是坐在紧挨着A排后面
一排的B-4、B-5、B-6 座位上面的乘客却幸免于难。
姐夫后面的座位是B-6。
我们现场完成了死者和以及家属身份的确认过程，
随后用了一辆冷藏救护车将姐夫的尸体运回首尔。
我们是在晚间出发的，整个行程都是在夜间。救护车在
前，我开车载着姐姐跟在后面。

姐夫公司同事的车队排成一队长列跟在我们后面。姐姐在车里，没有哭泣，也不吃也不喝。

途中她擤鼻涕的声音很大，我听得出她正在哭泣。

当车子路过竹田服务区的时候，她说：

"妹妹，B-6座位上的乘客活过来了；但为什么坐在A-6座位上的人却死了呢？"

我不知道怎么回答，可是她又问：

"妹妹，为什么会发生这样的事情？"

她不断地问着这个无法回答的问题。每次话没说完就被擤鼻涕的声音掩盖，也不期 待什么答案。

每一次我都无法回答她的问话。

突然，意想不到的的事情发生了，她来月经了，血流到了车上。

姐姐的脸涨得通红，急切地用双手用力压着自己的阴部。

"妹妹，怎么办？怎么突然这样了？"

"姐姐，你什么地方不舒服？"

"热死我了，好像有什么东西从我身体跑 了出来。"

我立刻把车停在了公路旁边，此刻已经是
半夜时分。因为我的月经也快来了，所
以我在手提包里备有了卫生巾。

我打开车内灯，找出卫生巾，撕开封套。

坐在我旁边副驾驶位置上的姐姐，打开裤子拉链，抬起了
臀部。

我帮她把裤子从她的屁股上拉了下来，发现里面
的三角内裤都已经湿透，一股腥气味弥漫出来。
很明显，突然流出来的血已经很多了。
穿过内裤流出的血把两侧大腿也弄得血迹斑斑。
我拿出指甲剪打开上面的剪刀先把她内
裤下面连接部分剪断。
然后我又剪断了内裤的两侧部分，这样就不
用抬起她的小腿，很容易地拿掉了她的内裤。

由于用力挤压，腹部有明显内裤橡皮筋的压痕。

我用卫生巾擦拭大腿的内侧，这时她把两侧
的小腿也分开了。

我把拿下来的内裤和用过的卫生巾都放在了
塑料袋里，扔在了车内后排的座位上。

无论是她和我都没有多余的内裤，我只好拿
出一个夜用卫生巾，粘到她的裤子里面。

她再一次抬起屁股，我帮她穿上裤子，拉上了拉链。

很可能粘在裤子上的卫生巾使她的下面感觉 不舒服。

"姐姐，再坚持一会儿，我们很快就到目的
地了。卫生巾很厚，不会有什么问题的。"

"对不起，妹妹..."
我姐姐双手掩面哭了起来。
之前她一直没有哭，即使在看到她丈夫的遗体被运往山
下的担架上时，他的领带上有公司的徽标。

她站在，距离担架稍远一点的地方，并没有

走向担架，只是一个劲地擤鼻涕。可是在处
理完突如其来的月经时，她却苦得那样伤心。

她哭泣是因为拿走浸满血迹内裤吗？

或者她是纠结在A-6和B-6之间的座位而哭泣吗？

我在一本妇女杂志上读到过，女性在接
近绝经期的时候会下体出血，甚至引起轻微的休克。
我无法想象她丈夫的突然去世会导致她出现排卵和子宫
出血的情况。

在我的脑海里浮现出了这样的画面：一群群
刚刚孵出的小鱼苗，这些充满生命活力的鱼
苗离开了东海岸内陆河流的水面，向着阿拉
斯加海峡的方向游去，海面成片的鱼苗像无
数的针眼艰难地呼吸着，最终游到大海，却
难逃死亡的命运。

我闻到的是从她潮湿内裤散发过来的这些鱼
苗的味道吗？她不停地哭着，声音不高，但令
人感到悲伤。虽然我不能她探究到她为何哭泣，

但却能感到受到她的哭声对我身心的巨大穿透力。

"别哭了姐姐，来月经很正常啊，这值得哭吗？"

我拥抱着姐姐，她的双肩在我的怀里微微地
颤抖着，浓密的头发散发着橄榄的香气。
我不能启动汽车，就这样停在路边，因为她

还一直在哭泣。

高速公路上飞驰的汽车车灯在漆黑的夜 里不断地闪过。

有卡车经过时，随着路面的颤动我的车子也

有一点晃动。

过了一会儿，她不哭了，回头看了一眼后座上

的垃圾袋，说：

"妹妹，把它扔了吧，没有味道吗？"

"别管它，姐姐，我包严实了。到下一个

服务区，我就把它扔了。"

"我讨厌它，我们现在就把它远远地扔了吧。"

"不行，姐姐，这里没有垃圾桶。"

"你一定要在服务区把手洗干净。"

"我一定照办，你还是尽量睡一会吧。"

我再一次启动了引擎，进入了行车道。

姐姐抱着双臂，身子缩成一团，虽然车

内并不冷，我还是打开了暖气。

那天夜里，姐姐就是只穿着外 裤回到了首尔。

她的更年期慢慢地开始了，似乎在那一天的症状似乎格外

明显。

当我们路过高速公路收费站的时候，她对我说：

"妹妹，我身体里的变化是怎么回事呢？"

我不知道怎样回答。

我的公寓只有大约四十三平米，没有多余的客房，只有一个卧室、一个厨房和一个很小的多功能客厅。

从阳台到餐桌也就十步之遥。

姐姐坐在阳台窗前，望着夜空中的飞机说：

"妹妹，它是怎样消失的，好像穿越了一样？

飞机里面真的有旅客吗？"

她的话再一次地那样莫名其妙，仿佛有什么东西堵在了我的胸口。

我在准备晚饭，是油煎鳀鱼配酸辣椒。

鳀鱼仍然不是太咸，但是辣椒煎得有点过头，所以有点过软。

我调小了瓦斯炉的火苗，把辣椒扒拉到煎锅的边上。

酱油浇在辣椒上产生的香气弥漫在整个房间。

"妹妹，这不会太咸了吧？"她一边说着，
一边把头伸向窗外，"感觉还是有点太咸了。"

似乎她能从气味中就能辨别出咸味。
她说给我听时，她正嗅着窗外傍晚雾气的味道。
甚至如果她说"妹妹，这难道不是有点淡吗？"，
也是同样的情况。

燃烧的晚霞穿过她的后背迅速被夜色吞没，
在天边不留一点痕迹。

电塔上的灯光穿过广阔的田野，然后消失在山后的阴影里
。

傍晚时分，河的对岸的山峦看上去十分遥远，仿佛时间
将它们带向了夕阳的方向。

"妹妹，把火苗关小点，往锅里倒半杯水。
即使有一点点汤汁，也没关系。"她如此这般地说道。

这时我感到一丝丝地不安，担心姐姐也会像
这傍晚消失在晚霞中的飞机一样，穿越到没
有光亮的天空中去。

当姐姐在我公寓过夜的时候，她睡在我的旁

边，和枕着同一个枕头。当她脱胸罩的时候，双
手不能伸到后背时，她说：

"妹妹，能帮我一下吗？我够不着。"，可能
是年龄的关系，她的胳膊不能伸展到后背。这
一年她刚好五十五岁。
我比她小五岁，所以我还能够双臂伸到后背的。

"好，我帮你，姐姐。"
"我像你现在这个年龄的时候，就不行了。
这样的事情我也不能让我丈夫来帮忙。""

她把胸罩吊带从肩膀上拉了下来，然后转过身，从背后
拿到前面，打开胸罩中间的小扣子。

每一次脱胸罩的时候，她都是和我面对面坐
着，不让我看到后背上的罩杯标牌。

她丈夫总是住在单位，两个儿子也早早地结

婚了，所以通常她都是独自生活。

因为她的双手够不到后背，一般都是穿套头
衫。当她穿那种后背系有许多扣子的衣服的

时候，她都是在穿之前先把扣子系好。

每一次穿有纽扣的衣服的时候，她都像一个

被惩罚的孩子，高举着双臂先将两个袖子套上。

有一次，她买了一件亚麻布套头衫，试

穿的时候竟然把这件乔治阿玛尼品牌的衣服 给撑破了。

"妹妹，这件衣服竟然被我撑破了，是不是说明我需要
多锻炼身体了？

"。关于这件弄坏了的衣服的事情，

姐姐跟我通话聊了好长时间。

"姐姐，你应该穿前面系扣子的衣服。"

"是的，我应该这样，身边没人，我的手又

够不到后背。"

每当她去市场买衣服的时候，总是叫上我陪她，并且也
给我买几套衣服。

当她挑选衣服的时候，她的注意力会集中在

衣服的系扣部位，

她不喜欢买带有拉链或者粘扣的衣服。

也不喜欢领子上或者袖口上饰有装饰带的

衣服。对于三角内裤，她喜欢选择那些腰部配有非

常柔软的橡皮筋。

至于胸罩，她喜欢罩杯下面带有硬金属丝的宽松款式。

有一次，她挑选一件内裤竟然用了一个多小
时的时间。她只喜欢那种带有扣子或者系绳的衣服。

如果由于扣子太密集，遮挡了布料，她也不
会买这样的衣服。

她特别喜欢扣子排列的不紧密，穿起来比较
宽松的亚麻服装。

由于她的手够不到后背，，她穿脱后背有扣子的套头衫
会比较困难。

有一次她来我的公寓，穿着一件套头衫，外面再加了一
件紧身上衣，

，但是她无论如何也解不开 上面第三个和第四个扣子。
。还是我给她解开了后背上的 这两个扣子。

有一天当我陪她去逛商店的时候，我才意识
到，她已经知道了我有特殊的男性朋友这件事了。

那一天她给我买了一套衣服，说是庆祝我的
生日。那是我的五十岁生日。

由于天气突然降温，我穿了一件带有腰带的
风雨衣，里面穿的是安卡拉兔绒织的紧身上
衣。我先和姐姐一起吃了午饭，点的是日式
鲣鱼汁乌冬面。

然后我们去了综合市场。在一个卖羊绒衫的
商店里，她选了一件紫色半高领的意大
利马罗公司生产的开司米羊绒紧身上衣。

"妹妹，你的脖子长，半高领型的衣服比较
适合你，你喜不喜欢？"

我点点头表示喜欢。在店员包装衣服的时候，
姐姐打开了我的风衣的前排腰带，抚摸着我
的安卡拉兔绒紧身衣对我说：

"妹妹，你不要再穿安卡拉兔绒紧身衣了。"

"为什么这样说，姐姐？不适合我吗？可我穿起
来非常舒服，也很暖和！"

"安卡拉兔绒很容易掉毛，对吗？开司米就
不容易掉毛了。再不要让你的男朋友回家时
衣服上沾有兔毛了。"

说着，姐姐摘掉了沾在我披肩上的几根兔毛。

她总是注重细节，从不放过任何一个小事。

这些日常琐事似乎占据着她的全部生活使她

不能有片刻的自由。

但在姐姐从我披肩上拿掉兔毛的时候，我却

感到了这些小事的重要性。

她是怎么知道这件事情的呢？每一次她来我

公寓的时候，我都尽力隐藏或者处理掉任何

一点男人的痕迹。我会用一块布把烟灰

缸、剃须刀、短袜、圆领衫等包好，放进一个苹果箱子

里，放在小客厅外，以免被 她看到。

难道她看到了我偶然没有收拾好的什么东西吗？抑或是

我这个对细小事务过分敏感的姐

姐在我不太宽敞的公寓里面嗅到了烟味或者男人的脚臭？

她的那句 — 不要让男人的衣服上带着兔毛

回家 — 是在暗示，她已经知道了我的男朋

友是有妇之夫吗？

我突然想起来了，不知道是从什么时候开始，

每一次在她来看我之前，总是先给我打电话：

"妹妹，我可以在晚间五点左右去看望你

吗？我想在你那里过夜，可以吗？"

有时她承诺要来我这里的时候，我会找一些借口婉言拒

绝，比如说

我女性朋友从美国回来了，或者我要参加我同学儿子的

婚礼等等。

在接受了她买的开司米羊绒紧身上衣时，我

越来越感到不安。我开始担心，是否在他没

有回家在我这里过夜时，他的夹克衫上沾上

了安卡拉兔毛？我的安卡拉兔绒紧身衣服上

的长兔毛和淡淡的玫瑰色越来越使我焦虑。

在我们离开市场的时候，她似乎故意用温婉的口气说：

"妹妹，你最近头发有没有掉得很多？"

"我洗头发的时候有点掉发，来月经的时候

就掉得特别多。"

"你这个年龄，掉点头发是正常的。你可以

这样打理头发，发尖部分朝上，用小发卡固

定。掉下来的头发也很容易沾在衣服上。"

她似乎确认，那个在我公寓留下蛛丝马迹的男人
一定是已婚人士。

她的判断没有错，所以我无法回答。她又接着说：

"你的后脖颈很好看，如果把头发向上挽会
更漂亮，会显得你个子更高一些。"

我不能对我姐姐说，如果我用夹子把头发别
到上面，头发就会固定住不散开了。
那样不是不好看，而是不方便我男朋友爱抚我的头发了。
此外，他还不喜欢我把头发扎起来。
我总不能说："姐姐，如果我把头发扎到上面，
可能会好看一些，但那样在他拥我入怀的时
候我会觉得不舒服的。"

由于我接受了她送给我的开司米羊绒紧身
衣，似乎就证明我必须遵从她的建议。

但是后来她没有再提起那个男人的事情了。

每次他来我家的时候，我都会穿着她送给我
的衣服，但我并没有挽起我的头发。

我姐姐怕黑，所以在睡觉的时候，我们总是

点亮一个小地灯。她会铺好经过浆洗的棉细布床单，听

起来就像是在摆弄干草叶一样。

她的更年期综合征进展的很慢，持续很长时

间。月经有时候几个月不来一次，有时候又

会突然流经血。

这也意味着我要为她洗浆细布床单，准备好夜用卫生巾。

有时候，他白天来看我，

而她当晚要在我的公寓过夜，我必须得换新床单。因为我

担心，

旧床单是不是太褶皱或被什么东西弄脏了。

记得去年农历正月那个满月的夜晚，她也是

在我家度过的。月亮在江对面的山峦后面冉

冉升起，月光直照到多功能小客厅的里面。

因为我们家的窗前没有任何遮挡，月亮直接

透过玻璃，屋子里面仿佛就是月宫一样。

细布床单上的月光显得更加清冷，

而月光照在各种家具，比如梳妆台、挂

历、小地灯、电视机等，它们之间的距离好
像被拉长了。仿佛如果要测量距离，必须
要用一种我不知道的测量工具。

每当我打开窗帘的时候，月光就会这样洒满
整个房间。这样我姐姐就不会烦躁了，甚至都不
需要打开小地灯了。

她睡在我的旁边，月光照在她的额头上，似乎近在咫尺，
，甚至连月球表面的凹凸也清晰可见。

在第二天黎明时分，我被姐姐忙乱的声音惊醒，她开始月
经流血了。我看见她小心翼翼地移开床单，以免吵醒我。

在月光下，她褪掉了内裤的大腿和屁股呈现淡淡的蓝色。

"妹妹，对不起。"

姐姐喘着粗气，赤裸的身体弯曲着，像
一只虾。我拿走了浸血的床单，放到了洗衣机里。

姐姐站起身来，慢慢地进了卫生间。我马上
调高了室内暖气的温度值，然后拿了一
条内裤，贴上了夜用卫生巾，走进卫生 间递给她。

一切打理妥当以后，她又躺在了我的旁边。

"妹妹，我们把窗帘拉上吧，因为有月亮..."

我拉上所有的窗帘，打开小地灯，又为她拿来一床薄被覆盖在她原有的被子上。

她仿佛神志不清地叨咕着，像是在自己 对自己说话：

"我睡着睡着醒了，月亮突然在我的眼前出
现。我就好像来到了死后的世界，在那里我
是... 我希望叫醒一个人，但我既不能想起来，
又叫不出来他的名字。

后来，我感到自己的身体越来越热，像一个火球，
突然月经就来了。"

"姐姐，我理解你，不用再提这个事了。"

她伸开了她的双臂亲切地抚摸着我的头发。

"姐姐，你哪里难受吗?"
"我感觉我的五脏六腑都离开了我的身体。"

她脸上的红晕渐渐消退，直至苍白，每一次
呼吸都似要死去一样。

"妹妹，我每一次来月经流血，都感觉有一
团火球从我身体里冲了出来。开始好像火星
燃烧，越烧越旺，越烧越大，离我越来越近，
最后突然从我的下体像火山一样喷发出来。
你来月经的时候是什么感觉？"

我来月经的时候是什么感觉呢?每个月的那
几天我都很消沉、难受，不知怎样形容地沮
丧。迷雾般的黑暗穿过我的身体，弥漫在全身
的每一处毛细血管。
仿佛水从好像浸满水的海绵中滴落，又仿佛泡沫在螃蟹眼
睛上沸腾，

经血一点一点地从我的身体里流淌出来。

那几天，我差不多整天都拉着窗帘，一个人
躺在漆黑的房间里。

我实在是无法说清我身体的感受，也无法理
解她感受到的奔腾而出的火球。
她再一次睡着后，我摸了一下她枕头下面的
地板，房间的地板是热的。

亲爱的妈妈，

我昨天接到了爸爸的来信才知道，你们，我亲爱的爸爸妈妈，已经分开生活了，因为你们要离婚。爸爸在信里说，这种状态已经持续十个多月了。如果是那样，我去美国以后你们就立刻分居了。

很遗憾，在这十个月里，我多次给您打电话，可您一直都没有对我提起这件事。

您的新住址，我还是通过姨母，您年长的姐姐那里才知道的。

当我在这封信上写下您的新地址的时候，我禁不住哭了起来。

你们两个互不相爱地生活在一起那么久，让我心如刀绞。我是你们两位的女儿，这样的命运，真让我唏嘘不已。请您认真想一想这个事实，发生这样的事情，我也是一个受害者。但是您认为，在你们各自所选择的道路上就能找到美满幸福的生活吗？

我作为您年轻的女儿，我想说的话，也可能有点鲁莽不敬，但还是请您认真想一想，您得到了什么，您又失去了什么，或者：您能得到什么，您又不能得到什么。

我在美国的学习刚过一年，我还需要很长时间才能毕业，可是现在，你们，我的双亲竟然分手了。这件事使我深受伤害，身心疲惫，

以至于我已经失去了再拿起书本继续学习的愿望了。爸爸的信里面说了他的计划，一旦你们完成法律上的离婚程序，他和您将按照七三的比例分割财产。

他还说，我的学费也将按照七三的比例由你们二位分别承担。

如果不得不分别从你们二位手里这样别扭地拿到学费，我能学得好吗？

您很清楚我的身体状况，如果靠夜间打零工挣钱，我肯定无法继续我的学业，是吧？

妈妈，我请您再一次认真彻底地考虑一下，看看能否找到方法来解决到目前为止所发生的事情。

我也给我父亲去信讲了同样的要求。

我衷心希望我的信是一颗小小的种子，会促使你们重新结合继续在一起生活。

妈妈，我爱您。

您的女儿，

嫣珠

能看出这是从学生练习本上撕下来的一张

纸，在上面匆忙写的信。自从搬了新家以后，我

没有更换过去用的电话号码。

我继续延用老号码，是因为我懒得向嫣珠，向住在浦项、

庆州的舅舅、外甥、外甥女等一一说明我搬新家换号码了

。

当嫣珠给我打电话的时候，我每一次都会说：

"... 你最近身体好吗？哦，对了，小丫头，

我从电视里面看到，美国东部地区雪下得好大。

新买的车开得还好吗？你为什么不买自动

挡，而是买手动挡的呢？

在雪地上开车，可千万要小心。

你总是不习惯看后视镜。

哦，对了，你爸爸还是那样，工作、打高尔

夫、喝酒等等......"

我说的话，就像风一样在她耳边吹过。

每次在通话快要结束的时候，嫣珠都会请求

我把电话递给她爸爸，

这时我都借口说："你爸爸正出差呢。你知道，

他经常出差，对吧？他现在在济州岛。

他下了班总是打完高尔夫才回家。"

好像这期间我丈夫也没有把我们的事情讲给

女儿嫣珠听。

我坐在阳台窗旁的桌子边思考着，是否应

该给她写封回信。

可是一切又都不知道从何说起。

脑海中刚蹦出来几个字还没有连贯成句就好

像被狂奔的潮水冲刷得无影无踪。

按七三的比例？我从来也没听过我丈夫说这

句话。只有七三的数字在那，既没有文字，

也没有日期。

我想了想，按照七三的比例我们该怎样分割

共有财产呢？我突然停止了这种思考，再一

次把嫣珠的来信看了一遍。

写的是"7:3"，不是"七:三"。看过信后，

我随即把仍进了垃圾桶，但马上又从垃圾桶

里面捡了出来，把它撕得粉碎才扔了出去。

我突然想起了当我怀着女儿嫣珠的时候，常常会被那种直冲着嗓子向上涌来的恶心和呕吐折磨。

这种向上而来的呕吐的原因我并不清楚，可
每次发生的时候，都会使整个肠子都开始扭曲。
平时我并不感到肠子这个器官的存在，但每
当呕吐强烈的向上而来的时候，我才能感到
肚子里原来还有肠子，它还这么强烈地蠕动，
甚至翻滚。呕吐完立刻后脖梗开始出现很多
密密麻麻的小疹子，脸也开始发红，火辣辣的。

每当有那种特别味道掠过我的鼻子，就什么
也不想吃了，包括平时最爱吃的东西。

我就处于一种既想吃，又不想吃的状态。
不仅仅是闻到有人做了肉或者鱼的味道

就开始呕吐，还包括煮米饭的味道、煮拉
面溢出的调料味道，以及浴室下水槽的反味
、下雨天在我身边走过传来的大型犬体味等，这些都
会引起我呕吐的反应。

早晨湿漉漉的雾气充斥着令人作呕的气味，

仿佛粘在身上一般无法摆脱。

当我闻到肉和鱼的味道时，呕吐感非常强
烈，感觉五脏六腑仿佛被翻江倒海，每个器
官都在参与

进来了。而当我闻到蔬菜和未成熟
的水果时，呕吐感则更为直接，仿佛被一根 长矛刺中。

但是，我时不时会突然想吃那些没什么气味，
或者气味已经跑光了的食物。

我喜欢咀嚼生的水果、玉米或者生的甘薯。

可是生黄瓜的味道令我难忍，我尽力咀嚼，
但还没嚼几口，我就忍不住立刻吐掉了。

大约是在12月的头十天我怀上嫣珠的，第二

年的春天，大约怀孕三个月后，我开始嗜睡，
两个乳房也开始变硬变大。

嗜睡对我到没多少影响，仿佛像沉浸在温暖
的水中，感觉很舒服，但就是很难醒过来。
我还回想起来，在春天的那些日子里，打盹

后经常在公园里面散步，几乎抵抗不住要尝尝
被阳光晒得鼓起来的黄土的味道。

太阳的光线照射在地面上的小坑，在大一点
的土坑里却形成了光亮和阴影。
黄土看上去像小麦面包一样的轻柔。
我似乎感觉，如果我吃了因阳光照射而蓬松
的黄土，一定会很舒服，我要躺在柔软的
土地上，光亮会照进我的手指间、脚趾间、
大腿间，甚至我的子宫里。

为什么我会视黄土为可食之物？为什么想吃
黄土的欲望这样强烈？
虽然我很清楚，来自身体发出强烈信号的那
些东西，往往指向那些无益的食物，我需要进
食的不应该是生涩的黄瓜和甘薯，更不该
是黄土，但随着对这些无用物的认知越来越清晰，身体内
欲望的冲动却越发强烈。

确实，身体所指向的这些食物都是我的肠胃
不能容忍和耐受不起的。

那一天，我并没有吃土，现在回想起来，关于呕吐和恶心
的记忆可能并不准确。

咀嚼生甘薯和生玉米的味道，在我的记忆中
已经荡然无存、烟漂云散。
但是嫣珠的越洋来信，却又唤起了这种莫名
的冲动，让我又想起了那些食物。

无论你相信与否，
是我的真实经历。对我来说，嫣珠就像是一个有机的、植
入我的身体里的小鱼。

"嫣珠，你在哪里？
妈妈现在想你，我要抱抱你......" 我想这样
开始我的回信，但是，我放弃了。因为，好
像我找不到接下来说什么。

"对不起..."
我丈夫总是这样开头。我们都要离婚了，可
他的语气是那样的平静，仿佛和平时说话没什么两样：

"是不是我该理发了？"

"这条裤子不能穿了，我的腰变得太粗了。"

"我下周又要开始要出差了。"

"由于罢工，货物推迟上船，老板非常生气。

我是负责处理公司和工人之间劳资纠纷的管

理经理，，但不知为何，公司老板经常因这些与我无关的事情来责备我，让我感到十分困惑。

"等等。

基本我丈夫每次出差回来，我都能在他的内

衣上看到女性的头发。不仅夏天，即使在冬天的内衣上也是如此。而且这些头发的品质似乎都相同。

头发很长，大约能够垂到肩部，没有

染发，有些许粗糙但却很有光泽，看上去营养很好，甚至发梢都很有弹性。

夏天的头发是直烫的，而冬天是烫的波浪卷。

有一次我用指甲要从他的冬季内衣的线绳里

夹出一根头发时，这根头发弹落到了地热板上。

我的脑海立即浮现出一个裸体女性的幽灵，年轻、健康。

我感觉，她不是某一个有具体名字的女性，

要么是女人或者全体女性种族的遥远的先祖，

要么是所有我不认识的女人的集合体。

这个女性的形象以一根头发的形式从化石中跃出，出现在现实世界，立刻又消失了。

在幽灵消失的地方，既没有愤怒，
也没有不快，只有时间匆匆而过，空空如也。

当我用胶带粘起两根头发，把他们一起扔进
垃圾桶的时候，我感觉到后背一阵阵发凉。

虽然我丈夫经常带着漂亮的长头发回家，
尽管这些头发有时是直的，有时是卷的，在这期间我
还是去了他的老家参加了他爸爸和爷爷的忌
日仪式，还出席了他的两个堂兄弟的婚礼。

在中秋和元旦的时候，我还穿着韩国的民族
服装去了他的家乡。
他的老家是一个不大的小城，位于庆尚北道
的群山之中。
在这个小城里，他的大哥和他妈妈住在一起，
妈妈很早就是一个寡妇了。大哥主持了三代
人参加的仪式。

他的大哥俨然一副这个家庭一家之主的派
头，这种威严更多地来自于他掌控着通过变
卖继承的土地和树林而获得的财产。

他清楚地知道这个家庭的每一件事情，例如，
谁的女婿是书记员，谁的侄子是会长；谁当
上了科长，谁升职为商务专员等等；
小城新上任市长是他的中学
同学，娶了他的远房妹妹。
市长有三个儿子，他的二儿子与我的大
伯哥的大儿子在一个高中学习。

这样的故事，我都是在过去的祭拜仪式的那一
天，听我大伯哥说的。

每次我丈夫回家乡的时候，他总是从公司里
面借来那辆黑色八缸发动机的汽车，这是公
司一般用于接送客人的车，并且雇佣公司的司机来开车。

每次去他家的路上，我和丈夫都是并排坐在后排座位。

"一年又一年，你穿韩服更好看了。你这么
漂亮，你就不应该生的是儿子......"这是大伯
嫂两年前在我走进院子参加丈夫的爷爷忌日
仪式时候，握着我的手说的话。

在这个院子里，我用韩服上的缎带把拖地的

长裙挽起来系在腰上，开始用野芝麻油，煎
炸鱼饼、辣椒饼和牛肝饼。

这时，家族里的男人们都聚集在大客厅里，高声
笑谈，时而批评着其实已经在改善的关于政
府大楼供水系统的政策，时而回忆着在社会
上已经成功站住脚的侄子们在青春期叛逆的故事。
在每一次把要炸的东西放入油锅的时候，都
油花四溅，大概是由于面粉和生涩鱼肉混合
的结果。我尽力扭头躲避着着滚烫的油星。

"你要多搅搅要炸的东西，在把他们放到锅
里面以前，先把火调小一点。"

我的婆婆坐在房间外的阳台上看着我，
是不是对我指手画脚。由于膝关节炎的缘故，她已
经不太方便走到院子里了。

在我丈夫的家族里，仍然保留着一种叫做"封
送"的习俗。当亲戚们在做完祭祀要回家的
时候，主办方的家庭会把祭祀期间的食物打
包给每户家庭一份。每户来访的家庭会给主办家
庭子女一个装有五万或十万韩元的信封作为礼物。

这不仅是对他们辛苦准备祭祀活动的一种安
慰，而且多少也是对所付费用的一点补偿。
所以在准备食物的时候，准备的数量总是都
多于摆在供奉祖先供桌上的数量。

那一天，我在院子里用野芝麻油煎炸食品，一直
忙到天黑。
各种油炸饼装满了两个竹筐。
在我用这个丁烷加热炉油炸食物期间，每当
大门打开，丈夫的亲属走进来的时候，我都
会立刻起身向他们鞠躬。
有一位年龄很大的亲戚走进来，我一时想不起来应该怎样
称呼他，他停了下来对我说：

"你为什么总是不老？你现在应该看起来更
老一些才对，是吗？"
有一个远房亲属由一个年轻人搀扶着进来跟 我说：
"你是尹石的夫人，对吗？尹石是企业集团
的主管经理吧？你真漂亮。真辛苦你今天做
了这么多的油炸饼。因为今年家家都收入不
错，野芝麻油的味道也格外香啊。"

空气中飘来了油烟味，可能是因为有人在烘烤野芝麻籽的时候，炉火烧得太旺。

芝麻油太浓稠了，这样当我把裹满了小麦面糊的鱼段放入涂抹了野芝麻油的平底锅里油煎的时候，鱼段中间部分还没有熟透，边缘部分就已经因为煎糊而冒烟了。

加热到已经冒泡的野芝麻油的味道像干稻草的味道，而烧糊冒烟的野芝麻油的味道像是太阳光曝晒的味道。

芝麻油的味道弥漫穿透了我的头发和身体，但我并不清楚味道这种物质到底是什么。

它是什么？我怎么定义它？

这股味道呛得我说不出话来，每次试图要说话时，到嘴边的话却怎么也说不出来。
油烟味不禁让我想起在怀孕嫣珠的那个春天的日子，在那几天我甚至渴望吃被太阳晒得蓬松的黄土。

在野芝麻油的味道中仿佛又出现了那个裸体女人的幽灵，但转瞬即逝。

我在心里看到了她，同时，我注意到我丈夫内衣上的女人头发掉落到地热板上。我有一种感觉，这个幽灵或许就是那个女人的祖先，或者是一个化石中的女人。

我看了看平底锅，芝麻油在里面吱吱地响着，
我突然感觉到下面的躁动，毫无预感地竟然
憋不住要尿尿，在随后的几天里，都是这样
无法描述地过去的。
以前有这种感觉过吗？我不知道在这种情况下
应该怎样评论：很多人最终也没有认识到，
过去的事情已经过去了。

我婆婆拄着拐杖，走到了院子里来，对我说：

"好孩子，把你的头发扎到后面，油味会熏
脏了你的头发。"
"妈妈，每一次我都会洗头的。"

"你还是要把头发扎一下，如果不扎起来，
头发会受到伤害。"

于是，我把头发捋了一下，扎到了脑后面。

我婆婆苦于骨质疏松，长期骨痛，关节炎。
在她年轻的时候，还患有支气管炎和青光眼。

一天夜里睡觉的时候婆婆去世了。

似乎在她的意识中，睡觉和死亡是没有什么 区别的。

我丈夫家庭的每个成员好像都很平静地接受

这位高龄老人的离世，好像她只是进入了另一个长眠，
终于安息。

而且她还是选择了在大地消融、万象

更新的美好春天的日子里。

她的遗体上面覆盖着裹尸布，身体显得更加瘦小，宛如一
个小孩。

当把遗体放进棺材里面的时候，里面的空间
显得很宽敞。于是，雇来的"大仙"为了
填充空间，在遗体头颅和脚部周围放置了几
卷韩国传统的韩纸。
婆婆穿的是死人专用的孝服，脚上穿 着纸花鞋。

我想着祭祀公公那天死亡的轻盈和野芝麻油的香味，
痛哭流涕。
家里上了点年纪的男人们在葬礼现场聚在一
起大声地议论。他们说，嫁过来的媳妇对过世的妈妈比
自己的女儿表现得都好，更有孝心。

也可能婆婆知道自己的大限已近，在去世前
的中秋节上，她把自己结婚时收到的两个玉
簪子，一个给了大儿媳，另一个给了我。

而且还把自己的一对戒指送给了即将出国的嫣珠。
从年轻时候开始，我婆婆就到河对面的山村
里面的寺庙去烧香祷告，家里人一直对此耿
耿于怀。

她的二儿子和我结婚时，她连续三天去佛教
信徒大堂和山神的供桌前祷告。

在婆婆去世后，她的女儿们希望把他们母亲
的丧事纪念活动连续举办从死后算起七七四
十九天，但整个家族不让。

婆婆的丧事办完一个月以后，嫣珠飞去了美国。
傍晚，在我们送走女儿从机场返回的路上，
我丈夫说出了离婚的话"对不起……"。

在时机的选择上，他似乎是深思熟虑的。他
一定考虑到，在父母过世，女儿离开的时候
离婚，不会由于这件事对亲属造成太大心理伤害。
我也没有问他，为什么我们一定要分开。

因为我也不能回答，我们为什么一定要结合在一起。
在这样的情形下，"为什么"这个词是那样的
无力，我怀疑自己是否能从嘴里说出来。
我们分手了，在一起的时间没有了，这时天
也开始阴沉了，接着就下起了雨，从晚上开
始，整整下了一夜。
似乎这样让我听上去能适宜一些，他用了三

个音节的词说出了离婚的意思"对不起..."。
我也想用这样的词来回答："好，我知道了，
对不起..."，但，最终这几个字没有从我的嘴
里说出来。我甚至一个字都没有问关于在他内
衣上看到的明亮的长头发。在我看来，作为一
个被抛弃的女人，应该留有最后的尊严和体面。

他需要从我这里得到的，我也都同意给他，
所有的离婚事务我们没有任何争议，从一开
始的分手到最终签署协议没有走任何法
律诉讼；我们共同负责嫣珠的学习甚至婚姻，
保持作为她的父母的体面；不对其他任何人
包括家人和他的公司透露分手的信息直至离
婚既成事实；分开后他每个月支付我200万

韩元的生活费用，共有财产的分割要根据离
婚的规定随后讨论，原则上我们也要商谈一个协议。

我姐姐帮我选了新的住址，就是现在的江畔
公寓，远方就是汉江的入口。
姐姐住的公寓就在汉江对面的金浦。
我们姊妹俩几乎可以隔着这条江互相眺望。

来看望我的时候，姐姐不用开车，可以坐公
交或者出租很方便地就来到我新买的公寓。
这套公寓大约43平方米，价值一亿两千万韩元。

我不需要另付其他费用就买下了这套公寓，
因为这是建筑公司自己的自留房。
我中止了在银行的定期存款，取出了七千万韩
元，我姐姐替我付了其余的五千万。

姐夫死亡后，总的赔偿额度是十亿韩元，其
中包括航空公司的赔付、姐夫工作的公司给
的三十年劳动补偿、保险公司的赔偿，外加
给家属的丧葬费。

姐姐把大部分的钱都送给了两个已经长大成
人而且已经结了婚的儿子，还有婆家人。

事实上，并不是她把这些钱送给了他们，而
是他们应该从她手里分得的。

姐姐是一个善解人意的人，从来也不会因为
钱的事情跟别人争吵。
她的儿子们自然而然地应该有自己的遗产份额，但她的公
婆拿走的那部分钱，却断绝了与她这位寡居儿媳的亲情。

后来人们都说，在追悼会现场，她丈夫家的人
把参加追悼仪式的客人送给他两个儿子的装
有慰问金的每个信封都给拿走了。

在结束第三次墓地祭扫，沿着山间小路往回 走的时候，
姐姐的两个儿子抓住他们堂兄弟们的衣领，
互相厮打起来，索要一半的丧葬费，而姐姐
对此没有任何的表示，看也不看，理也不理。

姐姐是所有人中最后一个下山的，我打着太阳
伞给姐姐遮着头。

当她的儿子在前面吵闹的时候，她转过身体，
发呆地看着还没有培土种草的丈夫的红色坟墓。

姐姐的脸并没有上妆，只是涂了一层薄薄的粉底。

所以脸色极为难看，老年皱纹很明显。
面向坟墓的脸庞，看上去极为悲壮，似乎她
不能再忍受着世人的目光落在自己的脸上。

我轻轻地掸掉落在她孝服上的草种，心里不
安了起来，经血会不会再从她的身体里面流出来。
争吵场面由于她丈夫远房亲属的介入越来越激烈。
我不得不选择另外一条较远的路，陪着姐姐下山。

我姐姐用五千万韩元帮助我买了新公寓，这
些钱几乎是她放弃了继承丈夫大部分遗产剩
余部分的全部了。

搬入新家前，我还需要六百万韩元来为这个
不大的公寓购买小冰箱、空调、桌子和合适
的柜子，所有这一切都是姐姐付款。

我姐姐找了搬家公司，付好了费用，在我搬
入新家的那一天，所有的一切都同时到位安装好。
她用圆边葡萄图案的亚麻窗帘来装饰阳台玻璃窗，

还买来两瓶酱油用于调味翻炒干鳗鱼和青辣椒。
在搬家那一天，她还给我买了一个棉麻
布的厨房围裙，这个围裙没有口袋，在胸部剪出两个圆孔，看上去倒不是一个围裙，而是一件睡衣或者衬裙了。

"姐姐，你确认这是厨房围裙吗？"
"你说什么？这个你不喜欢？"
"这个看上去像个衬裙。"
"既然那样，就当作衬裙来穿吧。"

姐姐正蹲在地上用一块湿抹布擦地板，抬起头看着我穿着她买的围裙站在餐桌旁，笑了。

她的笑是那样勉强，那样可怜，笑的声音那样孤独，我正在炒青辣椒的胳膊顿时失去了力量。

到了傍晚，搬来的东西基本都收拾好了，我和姐姐面对面坐在阳台前的桌子旁，我倒了两杯红葡萄酒放在桌子上。

"妹妹，这个公寓在第八层吧？它一共有十五坪吧国一坪约等于3.3平方米。

"不是，姐姐，在第九层，共十三坪。"

"这条江真宽，公寓显得差不多有一百坪吧。"

姐姐转圈摇动着红酒杯，嗅了一下红酒的气

味，然后在酒杯的边缘啜了一口红色的液体。

"诺，红酒的味道有了些变化，喝点吧。"

我拿起了酒杯，首先润湿我的口腔，然后把舌头滑动到上颚，葡萄酒的香气立刻弥漫到喉咙。葡萄酒还有点生涩，没有完全醒好，尝起来有点酸酸的杀幼感。

"它怎么样？会不会涩口？太苗条，骨感而平坦，最后很光滑。"
这是我第一次认识到，我姐姐晚间话这么多。这些话令人糊里糊涂，只有她自己明白，对她一个人起作用。说了等于没说，我也不能打断或者插话。

最终，这条江在入海口转了一个大弯向西流去。虽然没有看到大海，但是巨大的力量是可以感觉到的。当海水涨潮时候，江水会逆流而上来到市中心，而当海水落潮的时候，江水又会顺流而下流向大海。

当海水的潮期变为涨潮期的时候，往下流的江水会与往上流的海水相撞，巨大的力量使江水会向上直立卷起白色的泡沫。

当傍晚退潮时，江里的水同时耗尽动力，人们可以听到江水流过江底后撤的声音。
随着傍晚江水的流出，潮湿的沙滩开始在江岸两侧的低地显露出来，整个流域突然安静下来，弯曲的水底清晰可见。

在看不到的江水的远处，又一次的涨潮开始了，而且越来越近。
傍晚，当江水下落的时候，江水最为丰满而宽阔。江对岸的群山变得越来越远，晚霞穿过了混沌的时光。远处的江水仿佛与晚霞凝固在了一起。

远去的飞机消失在晚霞中，飞过来的飞机从晚霞中出现渐渐的靠近金浦机场。在晚霞中消失和出现的飞机看上去都是小点点，就像飞机要出生的胚胎或萌芽。

其实消失的和靠近的飞机全都是一样的。

"妹妹，飞机看上去就像一条鱼，看那个鱼鳍，尾巴上也有，它是怎么好像穿越一样消失了呢？飞机上面真的有乘客吗？"

从那天晚上开始，她真的唠叨不休了。

那个男人也会把我的安哥拉兔绒紧身上衣的兔毛带回到他自己的家吗？他的妻子从他内衣上面摘下的兔毛也会掉落到他家的地热板上面吗？

如果我能把那个男人称为"他"，我感觉他和我没有任何关系，他对我来讲什么都不是，只是和我怀孕时候的呕吐一样恶心。

如果让我努力把那个男人称为"他"，我感觉他就是某一个男人，或就是那一个男人，或者是那些男人中的一个。如果让我努力把那个男人称为"你"，那对我来说，他不是我面前的活着的"你"，因为要成为我的"你"，他仍然距离我还很遥远。所以，我会不由自主地想要称呼那个男人为"他"。这完全是我的心里话，因为我不存在对其他人的选择。

我极为生气的是，当我自然而然地决定称呼这个男人为"他"的时候，而这个男人却对我是那样的陌生，似乎他和我没有过任何关系。没有任何选择，我实在受不了这样。

我言不由衷地决定称呼这个男人"先生"，当
决定称呼这个男人为"先生"后，我感觉我
的愤怒似乎平缓了一些。因为对于我来讲没
有其他的选择，所以对我来讲也其他的选择也不存在。

搬入新家的第二天，我和这位先生见面了。
在我把女儿嫣珠送去了美国，丈夫也和我离
婚后，他出现在了我的面前。

这位先生近距离地出现在我面前，但我不知
道他究竟能走进我多少。

嫣珠进入学习的美国大学是在我搬入新家前
的几天内确定下来的，在准备入学手续中有
一个财务担保的文件是必须要有的。

嫣珠告诉我必须用国际快件发送，其中包括
她父亲任职公司的在职证明，公司支付的最

近两年的所得税原始收据。

她越洋电话里的嗓音激动地有些颤抖，饱
含着对异域新奇未来的向往和新大学的渴望。

"妈妈，这所大学属于常春藤联盟，是美国东北部有名的大学之一。

每一座大理石建造的大楼都有着古老的历史，西方的孩子们也都很漂亮。

妈妈，明年你一定要来这里参观。"

"亲爱的女儿，你妈妈我也知道常春藤联盟，去年的诺贝尔化学和医学奖的获得者就是这所大学的教授，对吗？就是研究气味同一性的那位教授。"

我在报纸上已经读到了关于他的研究成果的文章。气味是人无意识的标记，能够唤起人们不清晰的记忆。

"妈妈，那叫医学化学奖，我所学的专业和那位教授的专业是一样的。当我学研究生课程的时候，我就能跟这个教授学习了。"

"你也学习研究气味吗？那可不容易。"

"哦，妈妈，学习气味确实太太难了，我现在还没有确定我的专业。"

"对，你晚点再确认。还有，由于你个子矮，
住公寓厨房的和学校的桌椅没给你带来什么不便吧？"
"妈妈，看看目前的情况，现在这件事重要
吗？请尽快给我邮寄材料，因为所有材料都
必须是原件，所以不要发传真，务必用国际特快。"

"好，所得税的收据不用必须是英文吧？"

"可以的，但文件必须注明金额数字和付款
日期，而且还要有税务局长的印章。

因为我爸爸支付了很多所得税，所以在审查
材料的时候没有出现任何问题。他最近好吗？"

"是的，我们这里每个人都很好，你爸爸听
到你被大学录取的消息非常兴奋。你的叔叔
大爷们也都很高兴，还有爸爸老家的朋友们，
或许他们希望我们再一次给他们做打糕吃
呢。你爸爸和我会立刻给你邮寄材料。"

任职证明我会从我丈夫的公司拿到，公司支

付的所得税最初是从我丈夫的工资里面支
付，收据也在公司里面找到了。

收到公司送来这些材料后，我必须要请税务
局长确认盖章。于是我给公司打电话，但没
想好把这件事情告诉我丈夫，还是告诉他的助理。

我丈夫的女秘书接的电话，她非常干练和聪
明，在我和我丈夫之间协调处理事情已经很
长时间了，她立刻就听出了我的声音。

"您好，夫人！我们每一个人都很遗憾和歉
意，您不能参加我们公司为高管家属安排的
宴会。集团公司总经理夫人为您准备的礼物
我已经收好了。"
我在等着女秘书会首先对我说她要接通韩经

理的电话，或者他现在不在办公室。

"我听到一个消息，您的女儿去国外读书了。
就想象孩子已经出嫁了。您一定会感到孤单
了，因为韩经理现在正在国外出差。昨天他
发来传真，他要比先预定的行程晚回来几天。"

我丈夫在国外出差，幸好我没有对她说接通
我丈夫的电话，因为他要求我不要让公司的
人知道我们分居了。这也正是我希望的，我

不可避免地要留心一下。

"因为他外出，所以我想请您，崔秘书..."

我很自然地开始说请她来准备这些文件。

"我明天会准备好这些材料，因为总经理夫
人给您的礼物也在我这里，我会让公司的司

机明天将这些材料和礼物一起送到您家里。"

她提到的家，就是以前我和我丈夫一起住的地方。
"不用了，那没必要。明天我还要到市中心，
然后我会来公司找您来取材料。"

我在努力解决这一危机。
"是吗？如果是这样，您明天来市内的时候，
请您给人事部金先生，金部长打电话，他们
部门负责处理这类文件，我会通知他把您的
事情办好。您一定认识金部长，金先生，对吗？"

"是的，好像很久以前我见过他一面..."

"我是人事部的部长金圣吉。"

金圣吉是这位先生的名字。

就这样开始了我们的关系直至我离婚。

在那一天沙尘暴刮的很厉害。

公寓阳台外江水远处的天空灰蒙蒙的，山峦

也隐映在灰尘中。

朦朦胧胧的世界空空荡荡，空空荡荡的世界

朦朦胧胧。

我站在梳妆镜前，系着腰带的风雨衣，头上

扎了白色的纱巾使我看上去更像一个开始变老的僧人。

随即我又摘下了白纱巾，换了一条紫色的。

我开车来到了我丈夫的公司大楼前面。

那位金先生已经坐在了灯光昏暗的咖啡厅的

窗子旁边。给人的感觉像一只身体瘦弱的小

鸟用一只脚站在那里，胳膊，腿，手指，甚

至脖子都很长。

他看着我，我自然而然的把目光投向了他的

身体，似乎给我一种这个物种的鸟要消失的危机感。

我曾读过一本书，上面介绍，经过冬季活下

来的候鸟，如果不能在春天再飞回西伯利亚，

就永远不会飞回去了而会在其他种群中生活，直至死亡。

金先生把我要求的文件放到桌子上推给了

我。推文件的手指很细而且上面还有黑点。

我翻看着文件，在所得税的收据上已经盖好
了税务局长的印鉴。
这时他对我说：

"您的女儿长这么大了。我记得在她一周岁
生日的时候，我还抱过她呢。您好像不记得我了..."

如果说起嫣珠的一周岁生日，那时我住在羊
尾洞租住的房子里。
那天我丈夫年轻的同事们在我家里做客喝酒。
因为已经二十五年了，我记不起来他的脸了。

他在嘴角上显示出一些伤感和无奈，微笑着继续说到：

"我和韩总经理是同时来公司面试的，我们
俩也是公司第一批公开招聘雇佣的人。

但是现在我却是韩总经理的部下了。"

"是吗！..."
"是的，事情就是这样... 很正常。"
这时我开始思考，什么样的味道能从他的二
十五年前的脸唤醒我的回忆。我实在想不起

来他二十五年前的脸是什么样。但我能回忆
起两年前他的脸，那时我陪同我丈夫参加接受正
式任命主管经理的仪式。

只见这位金先生带着小跑，来到我丈夫面前，
把文件给他看，让他确认。我丈夫坐在仪式
现场的主席台上，脸上伴着搞怪的动作说：

"...我等一会在详细看。"
我丈夫没有打开任命书又把他递给了金先
生。我以他上级的夫人的身份站在金先生的前面。

"如果您把你女儿的地址给我，我可以通过
寄给我们公司在美国的分部的公文袋把文件
寄给她。人事部部长也负责这样的事情。"

"不用了，谢谢。我还要和这些文件一起寄
点别的东西给我女儿。"
金先生对没有能帮助到他顶头上司夫人的
忙，而流露出些许尴尬与与无奈的神情。

在他的脸上写满了关于他们两个人的历史，
即，他只做了部门经理，而和他同时入职的，
我的丈夫晋升为有实权的高层经理。他再一次对我说：

"您的女儿像他父亲，她将来一定会有所作为。"
他的嗓音是那样的无力，我甚至怀疑他对我
女儿祝福的真诚。

说完这句话他淡淡地笑着，使我再一次感觉
这种鸟类物种灭绝的危机。我似乎是在否定
他的话，对他说到：

"不，绝不会的，这个女儿像我，她胆子小，
没什么追求，不会有太大的作为。"

他的脸色极为窘迫，几乎都要哭出来了，我
的心里不免自责起来，我为什么要这样说呢。

"哦，这是秘书办公室送给您的东西。"

金先生又把他带来的两个购物袋子放到了
桌子上面。其中的一个里面放着的是古驰牌
子的手提包，这个是集团公司主席夫人送给
我的；两张俄罗斯芭蕾舞团的演出观看邀请
券；还有十张大概是谁送给我丈夫办公室的商品券。

在另一个袋子里面是几块韩国郁陵岛牛肉，
是公司下属建筑公司的一位经理送给我丈夫的。
因为我不再是海阳集团高管韩允石的妻子，

所以这些东西就不属于我的了。但我又不能
推辞不拿，我很无奈而又感到耻辱地拿着这些东西。

金先生看着我很为难就说：

"夫人，您不方便提这些东西，我可以让公
司的司机把这些东西送到您家里吗？"
"谢谢，不用。我开车来的。"

咖啡厅的服务员端来了茶壶，金先生给我倒
了一杯绿茶。他的手指细长，用右手拿着
壶把，并且用左手支撑着右手，慢慢
地，一点一点地将茶水沿着茶杯的边缘倒进
茶杯里面。

当他倒茶的时候，整个身心都聚精会神地专

注着，仿佛像一位牧师在完成
一项已被遗忘的古老宗教仪式。
只有这样心静的人才能无声地接受时间带来
的风浪从而生活得舒展自如。

传说这个公司要重组，将解雇所有
老员工。

如果是这样的话，— 我头脑突然出现了这样

的想法 — 他和我丈夫一同入职，而仍然是
一个部门经理，是否在公司的时间不会太长了。

或许他双手倒茶的动作和出奇地安静使我有
了这样的想法。我想问他，妻子是否工作，
有几个孩子，但我还是止住了。或许在公司
员工家属郊游、运动聚会，亦或在
老员工表彰大会上我见过他妻子一次两次

的，但我却想不起来她的模样了。

我喝了几口他给我倒的茶，一股淡淡的鱼香
沁入我的身体。这种香味无目的地弥漫着，渐
渐地消失了。我感觉在我面前的这个男人似
乎就是晚间的飞机像晚霞的的小圆点一样，向我靠近。

在他还没有靠近我以前，我从椅子上站了起
来，迎着他并不戒备的目光点头再见。

"非常感谢您为我准备的这些文件。"

"在韩总经理出差期间，如果你什么需要吩
咐的，就请给我打电话。因为我们是同时被
聘用的同事，能够为公司韩先生服务对我来

讲还真不容易。"

虽然他的话不太像平时的恭维话，但能从他
口里说出来也不是太容易。

他用两只手提着购物袋，陪着我来到我的车

旁。当我启动了发动机，车子已经开始移动
了，他还一直向我这位他的公司顶头领导的夫人在鞠躬。
当他弯腰鞠躬时，在我的脑海中浮现着是这
样一幅画面：一直金鸡独立的鸟在用它弯曲
的喙啄着自己的下面的翅膀。

在回家的路上，沿江公路上的沙尘暴越来越重。
在黄色的灰尘中，汽车尾灯飘忽不定，就像
萤火虫在闪亮。

交通电台发消息说，飞机的起飞和降落都停
止了，甚至无线电话通讯系统都受到了影响
不能正常通话。后面的车几乎看不到前车尾
灯的光亮，就好像长长地盲人队伍一样在慢慢移动。

在我的心里莫名其妙地出现了不满的情绪：
"长腿鸟不要靠近我，往西伯利亚飞吧，不
要一条腿站在那里，那不是你的地方..."

这些想法是多么无聊！是西伯利亚还是阿拉斯加？那个地方是谁的？那个地方在地球上存在还是不存在？金先生在去往不知道什么名字的地方以前，应该一条腿那样站一会，这样的想法使我不安沮丧。我的不快莫名其妙，这种莫名其妙的不快来得那样突然，令我无所适从。在由于沙尘暴而昏暗不清的江岸路上，我的不快迅速转化到我的脚掌，不耐烦地奢望能用力踩下油门踏板。

我们的关系就这样开始了，最后，当我和丈夫离婚，把女儿送到了美国，整个事情终于水落石出。既不是必然，也不是偶然，但最终是不可避免的。

就在他的身体整个地在我的身体里激荡徘徊涌动的时候，我感觉他就是一只腿站着的鸟。

当江水来回流动两次的时候，在新公寓里面

就度过了一天，江水向市中心流动的声音汹涌澎湃，而向大海流动的时候却懦弱暗淡。

投向江面上的光亮在早晚是不一样的，落潮

时流向大海的江水的时间节点也是不一样的。

在新公寓里面，由
于鼻孔干燥，我呼吸起来难受，所以我总是打喷嚏。
打喷嚏的时候，总有一点尿液从我下面
流出。而在我上下楼梯的时候，我感到膝盖疼，腰部发沉
。
"妹妹，你这是住进新房子产生的综合征。"，
我姐姐说。
我大声地笑了起来，这是因为我的新家？或
许是更年期综合征吧。

我有时会去小区的健身房，在跑步机上慢跑，

然后在热暖房的加热地板上烫腰。

暖房里面有一排用隔板隔开的一个个独立的
空间，很像没有门的公共厕所，每一个隔间
里面还放了一个很像坐便的铁桶。铁桶上面
坐着女人，她们脱掉了内裤只穿着一件宽松
的罩衫。
铁桶里面是引燃的干鼠曲草，暖房里面的健
身女教练站在她们前面讲解，引燃的鼠曲草
的烟气会穿过阴道加强肌肉的收缩和阴道分

泌，最后清洗阴道。

"女士，把你的大腿完全打开。"

女教练纠正着女人们的姿势，而这些女人们
坐在铁桶上面或者往自己的脸上涂抹按摩
膏，或者小憩，还有的嘴里嚼着口香糖。我
已经多次在我那位先生来我家的第二天来这
里坐在铁桶上面了，因为我经常感到阴道不
舒服，但这并不奏效。
他做爱的动作并不暴力，他会深深地进入我
的身体里面，似乎他刺入了一个圆柱，长时
间地不移动他的身体。
我自己也不做动作，只是张开我的双腿接受着他的身体。
穿过阳台窗可以听到早晨落潮时江水后撤流
向大海的声音。

在不清晰的沙滩上金鸡独立的鸟安静地住进了我的心里。

在我的心里出现了幻影，我双臂抱着这只鸟
沿着水流奔向了大海。在我接受他的身体期
间，他满满地融入我的身体，我感觉不到一点疼痛。

但在他抽出时，那个地方又开始疼了，并且

发出干涩的摩擦声。

中午过后，我经常陪着姐姐逛超市并且在那里吃午饭。

下午一点以后，餐厅里人不多，我们差不多

慢慢吃两个多小时。

姐姐口味挑剔，看菜谱就需要很长时间。

有一次她询问服务员菜品食材、酱汁的种类
和沸腾度数等，从一个饭店离开又去寻找另一个饭店。

还有一回她为了挑选服装和化妆品用了半天
时间，最后什么也没买。在新公寓度过一天，
江水涨落两次。

当江水流出时，江面降低，而当江水逆流而
上的时候，会一直来到市中心，旁边就是大
型超市和各种酒店。

秋天，我丈夫从高管晋升为公司总经理，而
金先生却被解聘了。

从升任总经理的第二天开始，我丈夫就解雇

了高龄和工作不利的职员，金先生是第一批被裁的。

我听说他一再请求我丈夫能让他在公司留用
两个月直至她女儿婚礼以后在离开。

但是我丈夫说，他可以在两个月后接受辞呈，
但必须立刻交接工作，把办公室腾空给继任者。

晚上做爱后，他穿着睡衣，坐在阳台前的桌
子旁，开始讲述他被辞退的事情。

他的嗓音不高而平静，好像在讲述别人的事
情。我和他面对面坐在桌子旁，一起喝着红
酒，我看着他，是否有我的头发落在他的内衣上面。

由于在他买房子的时候已经提前领取了解聘
金，所以公司不再给他发放这笔钱了。当他
递交辞职信的时候，我丈夫从钱包里拿出五

百万韩币递给他作为离职的安慰金。他说要
把这笔钱送给女儿作为婚礼陪嫁。

在他慢慢叙说的过程中，我给他杯子里斟满
红酒。虽然我希望尽可能像他给我倒茶时那
样安稳沉着，但我还是模仿不来他的动作。

他把头转向江水，说：

"没有母亲的女儿是很难嫁出去的。"

入海口处又丰满起来，江水又要掉头向上，
在江水的尽头连接陆地的方向，傍晚的阳光格外闪耀。

"... 母亲，为什么...？"我欲言又止，把要
问的问题吞了回去。他继续说：
"我女儿的母亲在生第二个宝宝的时候去世
了，是输血造成的意外事故。那是很久以前的事情了。"

直到这时，我一直没有问他妻子的事情，他
也从来没有给我说。

因为他的妻子已经去世很久了，我这样不算
通奸吧？在我不知道他的妻子已经去世期间
和他发生这样的事情能被原谅吗？

我这样问自己，随后又回避了这个问题，因
为这个问题是我难以忍受的苦恼。在我把我
们的关系定义为爱的时候，在我的眼前出现
了浅浅的沙滩，江水在上面已经流过。

甚至人们创造出来的"死亡"这个词似乎在

我面前也消失了，他的妻子没有死还活着，
她也坐在她家附近的暖房里的铁桶上用鼠曲
草的烟雾来治疗自己的下体，亦或观察着粘
在他内衣上面的安哥拉兔毛。

"为要结婚的女儿准备嫁妆也是很麻烦的。"
"有婚庆公司来准备婚礼，找一个婚庆公司

还是很容易的。"

自从被解聘后，他每天都来我这里。我仍然
非常注意不要让我的头发落到他的内衣上
面，在他面前我也不穿安哥拉兔毛的紧身衣。

我丈夫给我发来了一份用文字处理器打出来的信，在年前
我们要完成全部的离婚手续，分割财产和户
口登记分户。年前还有三个月了。

深秋时节的一天，大伯哥要办他的七十周岁
寿宴。由于我丈夫还没有通知他家族关于
我们已经分开的事实，他打电话要求我和他
一起去参加庆典。

"哎，下一周是我哥哥七十周年的生日祝寿

宴会，我们是不是应该一起去参加啊？"

他的音调仍然和往常一样，和他说出我们离婚用的词"对不起..."一样。虽然我丈夫他们家的老亲戚有他们自己的风俗习惯，但他们对我一直都非常善良和喜欢，总是热情地跟我聊天说话。我希望我的丈夫能够以后自己告诉他们我们离婚的真实情况。而我打算还是像以前一样把他们作为姻亲来相处聊天，直至他们知到我们离婚。我想这样对我们各方都是比较适宜的。

但是无论如何，我不想再像以前那样在庆寿前一天，在他们们的院子里用野芝麻油煎炸点心了。我丈夫建议我们在当地政府大楼前见面，然后一起去大伯哥家，我同意了这样的安排。

在市政府大楼旁的长途汽车总站看到了一台

黑色八缸汽车，我丈夫坐在里面。那一天是他自己开车，并没有用司机。我拍了拍车门，他打开了后车门。

"为什么你不穿韩国民族服装呢？..."，我丈夫问，我没有回答。我坐在汽车后排的车座上，然后他就开车来到他哥哥的家。

我小叔媳妇，就是我丈夫的弟媳头一天来，已经在院子里把点心煎炸好了，整个房子都弥漫着野芝麻油的香气。

宴会的主角夫妇穿着丝绸民族服装端坐在客厅的主桌后面。由于我公婆已经过世，大伯哥作为长兄就是一家之主了，所有的家人对待他们都像对待父母一样恭敬。

他的弟弟弟媳们和其他亲属，全部在客厅里面站成一排对大哥行鞠躬礼，而孙子侄子辈们都在院子里铺个草鞋，行跪拜礼。

我和丈夫并排先走进客厅在他大哥前面鞠躬行礼。大伯哥多少有一些不好意思似地接受了我的鞠躬礼，比我大很多的大伯嫂子连忙起来说：

"哎，我怎么能接受您的跪拜礼呢，弟媳！..."

与此同时，大伯哥在座位上也低头向我们回礼。我随即去往厨房，帮助准备宴席饭菜。

和我一起进入厨房的是站在亲属那一排的一位我并不认识的女士。

我被安排的任务是去后院的菜园里取韭葱和泡制的鱼露供客人食用。

傍晚的时候，我丈夫借口公司有紧急的业务要处理，必须返回首尔。我跟着他离开房间进了他的汽车，在市府大楼旁的长途汽车总站我们分手了。

"你要在这里下车吗？你随意吧。"

这时我才明白，他为什么不要司机开车过来。在我离开他的车后，他再次启动汽车直奔高速公路而去。坐上最后一班去往庆州的长途汽车，我姐姐的一个大儿子在结婚后开始在庆州居住。正好赶上他的第一个宝宝的一周岁生日，我姐姐在那参加她孙子的周岁生日聚会。

我答应在庆州和她见面。姐姐的大儿子是我的外甥，但他太成熟了，我都不好意思称他为外甥。

虽然大学毕业后没有工作，但是他却开着进口豪车，也从不攒钱。

我姐姐也不能干预他们的生活方式。

在我姐夫因飞机失事去世后，他生前工作的公司给予他的长子一个机会，让他管理一个新建工厂的餐厅。

这实际上是公司对他所做贡献的一种补偿和纪念。

因为那个工厂在浦项市，外甥开始移居距离浦项比较近一点的大城市庆州。

由于外甥缺乏经验，所以雇佣了一位职业经理人来管理餐厅，他只是分享利润。

因为那个工厂大约有五千多工人，所以他的利润所得并不少。
外甥说他现在全神贯注的是历史遗址和佛教文化遗址的研究。
他带着摄像机开着路虎吉普，去乡野农村采风，甚至在家里也装修了一个摄影工作室。
有一天，在部队服役的时候，他突然回家强行要求他妈妈给他五百万韩币，说是在训练的时候，不小心把步枪掉进了河里，必须要赔

偿。我姐姐非常害怕自己的儿子会因为弄丢

了枪而受到惩罚，就匆忙给了他这些钱。

后来我听我的一个同学在部队退役的儿子说，如果在部队服役的军人弄丢了枪支弹药，会在军营里面蹲禁闭受处罚，根本不存在要求个人出钱赔偿的制度。

这个外甥拿走了他爸爸死亡赔偿金的大部分，这其中包括航空公司给我姐姐的赔偿和姐夫公司给的职业年金。

他还同拿走在追悼仪式收到的慰问金的亲属争吵，最后他拿走了一半的慰问金。

我还听说在拿走一半的慰问金的第二天，他打电话给他妈妈说："女人没有权力处理家族 大事..."。

"我思来想去，反正是高个子下面有阴凉，还是你来管吧。"

在宝宝一周岁生日宴会当天，我姐姐给了她儿媳一个古驰的手提包。就是我第一次与他见面的那一天，他转交给我的我丈夫集团老板夫人赠送给我的那个手提包。

我还是认为这个东西不属于我，于是我就把它给了我姐姐，谎称我的一个女朋友出国带回来给我的。这是一个上了亮漆的夏季手提包。

"哈，这还是杰奎琳款的呢！"

姐姐年轻的儿媳妇立刻将手提包背在肩上在镜子前面反复端详欣赏。
这款手提包的出名要归功于肯尼迪·杰奎琳，在她成为美国第一夫人的时候经常带着这款包出席朋友间的聚会。

这款包背在她身上显得背带长短合适，轻柔飘逸，风格独特。看到外甥媳妇站在镜子前试包的样子，我感觉古驰这款手提包最终达到了目的，她背着它最合适不过了。

庆生的宝宝是个男孩，他发育得很快，晃晃悠悠地能够挪动三四步，嘴里还不断地呀呀咿咿。
吃饭期间，我的外甥不断地讲解着黄龙寺创立的意义、释迦塔的对称美学、艾米莉响尾蛇上面的飞天人物的浮雕美感以及监恩寺的三层石塔上面的造型是如何表现了韩国石塔的发展演变过程。

我姐姐和我着迷似地听着他讲的这些故事。
在厨房和客厅的墙上，悬挂着很多装裱精美
的外甥亲手拍照的历史遗迹照片。

在晚上的饭桌上，宝宝自己拿起一块扇贝肉放进嘴里，
突然噎住了。

几乎窒息的宝宝脸憋得通红，根本哭不出声，
只能胡乱挣扎。年轻的妈妈不知如何是好，
发疯似地喊叫，宝爸焦急地给119救护队打电话。
我的姐姐立刻抱起她的孙子，打开他的嘴巴
将手指伸了进去。
但是那块贝肉还是没有拿出来，宝宝的两只
小腿拧在一起。我的姐姐一只手抓住两只小
腿将宝宝倒立向上，用另一只手的手掌，用
力敲打宝宝的后背。

我惊讶于姐姐的这种力量和机智，很想知道
这样的能力和智慧蕴藏在姐姐身体的什么地方。
在姐姐连续几次对宝宝后背的拍打下，突然
宝宝将那块贝肉连同没有消化的牛奶吐了出来，接着宝宝
就嚎啕大哭起来。

姐姐的裙子被宝宝突出的牛奶等弄得脏兮兮的，外甥连忙
又给119救护队打电话取消了
救援请求。宝宝几乎不要命地哭了很长时间，
姐姐轻轻摇晃着怀中的宝宝，认真观察着仍
在哭泣的宝宝的嘴巴里面。

宝宝玫瑰色的牙龈上面已经长出了三颗小乳牙，
又小又白。姐姐又用她的指头按压着这
几颗牙齿，而且再一次地观察着嘴巴里面，
似乎陶醉其中。

"妹妹，你看这几颗小牙，就像大米粒一样。"

姐姐的眼睛几乎聚焦在他的嘴上，仿佛在看
一个远处的什么东西。突然宝宝的脸上流露
出一种不可描述的不高兴的神色，这是到目
前为止我从他脸上看到的最不高兴的表情。
"小苗开始要长大了！"

在返回首尔之前，我陪姐姐去爬了庆州市的
南山。我们选择从"三陵"一侧的山路开始
上山，但由于风大天冷我们并没有到达山顶。

走到一半我们就开始下行，路过"三陵"时，

我们开始阅读矗立在陵墓前的解说牌上的介绍，原来这三座陵墓分别是新罗时期第八代阿达拉王、第五十三代神德王和第五十四代敬明王的陵墓。这三位大王都来自同一家族朴氏。

虽然从第八代到第五十四代大王经历了七百多年，不但陵墓的外貌并没有什么变化，秋日的阳光也一样在陵墓间闪耀。

陵墓周围的松树挺拔，阳光透过弯曲的树枝，照射在陵墓坟头，斑斑驳驳。

"姐姐，这些是庆州非常有名的松树吧。"

姐姐一再地望着远处，似乎陶醉在洒下松树之间的秋日暖阳中。
我让姐姐站在树木之间的草坪上，给姐姐照相，镜头中秋日的光线照在她的双肩和头上。不远处同样的阳光穿过松树枝也洒落在新罗王国第八代大王阿拉达的陵墓上。

"姐姐，笑一下。"

她用力地笑了一下，在她勉强的笑容消失前

我迅速按下了快门。

在下山的路上，走了大约十五分钟，在每一
处朝阳的地方都刻有一尊雕塑佛像，非常好
看。但是这些雕刻在岩石上的佛像看起来并
不太突出，倒很像是是画像。

佛像的衣服边缘和嘴角上的微笑看上去并不
像人工所为，很像是岩石上天然形成的模样。

沿着雕刻的纹理，光线清晰，仿佛阳光穿透
在岩石上面。在佛像的前面，延伸下来的并
不丰满的手掌从山上指向天空，姐姐仿佛自言自语到：

"噢，妹妹，你看这个大佛的脸和手掌，谁
能把他画的这么好，简直就是自然长出来的。"
我立刻敏感起来，莫非姐姐又来月经了，但
这并没有发生。

在山脚下的纪念品商店里，姐姐买了一本旅
游手册，上面有庆州博物馆对此处历史遗迹
的说明，还包括佛教遗址，庆州古代王宫在
各个不同地方的传说和故事。

她看了几页后，指着小册子对我说：

"妹妹，你看这个记载，在这株植物的根下面有一个莲花藏世界。"

我认真看了一下姐姐指给我看的那一页。

在元孝大师生活的时代，在庆州附近的一个贫穷的小山村里住着一个残疾人和他的母亲，名字是蛇福。当蛇福的母亲去世的时候，他想让元孝大师为他妈妈发殡，做法事。

蛇福对元孝说："我家曾经载过《佛经》的老母牛死了。"于是，两个人抬着棺材去了山上。

蛇福在山上挖了一个植物的根，就在这个地方发现了一个安静纯洁的世界，蛇福把妈妈的棺材就安葬在了这个地方。

这个故事就这样写在这一页上，我读到"我家的曾经载过《佛经》的老母牛死了。"这一句时，不禁大笑了起来。
佛教的圣书怎么和老母牛扯上关系呢？"

"姐姐，为什么人们在"佛经"和"月经"里面都用了同样一个"经"字呢？我突然问姐姐这个问题。

"妹妹，你为什么用这样的话来问这么唐突的问题呢？"， 她回答。

已经是傍晚了，我们到了山脚下的村庄，在浦项方向出现了一架飞机，随即就消失在晚霞中。姐姐长时间地注视着天空，那里是飞机消失的地方。

"我们往回走吧，有点冷了。"
"姐姐，你披上我的围巾吧。"
"不，我不需要，你穿过我上次给你买的开司米羊毛衫吗？"

"是的，姐姐。我现在里面穿的就是。"

我们沿山下行，直接去了庆州车站。在等待新村号火车去首尔时，嫣珠给我的手机来了

电话，嗓音很激动。

"妈妈，我在首尔的高中老师给我来电话，说在学校大门上，有人贴出来海报，说我成功进入美国名校。

他还说，您和我爸爸的名字也写在上面。您
能不能去学校拍张照片呢？"
"是的，我一定去学校拍摄那张海报。"

我开始在想，我公寓旁的江水海潮现在到了
哪里。我还想象着回到公寓门口时，黑漆漆的夜色中，我
打开开关，灯光照亮了整个房间。

在火车到来以前，我去了药店，给姐姐买了
夜用卫生巾，放进了我的手提包。

我没有注意到姐姐竟然进了卫生间给我的男朋友打电话：

"我现在在庆州，大约半夜到首尔，今夜能
请你到我这来吗？"

他好像正在等我请他，立刻回答：
"好，我一定到。"

当火车路过大邱市时，车窗外面并不明亮，
黝黑黑的田野上不断有灯光闪过。

当火车穿过汉江，车窗外看到一只鸟用一只
脚站在江岸上。我旁边，姐姐鼾声大作，深
深地熟睡中。

Menopaŭzo de la Fratino

verkis KIM Hoon

Esperanto : JANG Jeong-Ryeol

Ĉiam, kiam mia pli aĝa fratino vizitis mian apartamenton, ŝi pasigis vesperon sidante ĉe la tablo antaŭ la verandfenestro. Vespere ŝi iom babilis. Fakte ŝi ne babilis, sed ŝajnis ke vespere ŝia buŝo apenaŭ malfermiĝas por paroli. Laŭ speciala artikolo pri klimaktero en iu virina gazeto, virinoj eniĝantaj en klimakteron senkaŭze sentas sin maltrankvilaj en vespero. Mi ne scias, ĉu la babilemo de mia fratino rilatas al klimaktera maltrankvilo. Preskaŭ ĉiuj vortoj, kiujn mia fratino diris vespere, ne havis ian signifon. Ŝiaj vortoj, kvazaŭ ĉielruĝo aŭ vento, ne kompreneblis kaj aŭdiĝis fore. Estus ĝuste aserti, ke tiuj vortoj ne aŭdiĝis sed preterpasis. Mi ĉiam ne povis respondi al ŝiaj vortoj.

"Franjo, aviadilo aspektas kiel fiŝo. Vidu la naĝilojn.", la fratino diris, rigardante tra la verandfenestro aviadilon, kiu estis penetranta en vesperan ĉielruĝon super la insulo Ganghwado[3]. Ŝi plu rigardis la ĉielon de Ganghwa, ĝis tiu aviadilo, ekfluginta el la flughaveno Gimpo[4], vidiĝis kiel granda ŝarko en la ĉielo ĉe la enfluejo de la rivero Hangang; poste ĝi vidiĝis kiel malgranda karaso kaj fine malaperis en densan ĉielruĝon.

"Franjo, vere ĝi similas al moroco. La kapo brilas.

---

3) 　　江华岛，是韩国第五大岛，面积410平方公里，行政上属于仁川江华郡，建有大桥与陆地相连。

4) 金浦机场，韩国首座民用机场在首尔市内，目前仍在使用，2012年仁川机场建成后，主要经营国内线和日韩线。

Eklumas la lampo en la vosto. Vidu ĝin."

Ŝi vokis min: "Franjo", sed, ne turnante sin al mi, rigardis eksterfenestren. Dum ŝi rigardadis eksteren de la fenestro, mi preparis la vespermanĝon ĉe la kuireja tablo.

"Franjo, ĝi tiel malaperas, kvazaŭ ĝi penetriĝus?"

Hangang[5] fore larĝiĝis en sia enmariĝo, kaj birdoj kolektiĝis sur la marsko, kiu troviĝis pro la vespera malfluso. La malaltiĝantaj ombroj de montoj retirante sin al la Maro Okcidenta[6], malklariĝis en vespera krepusko. En sennuba tago, ĉielruĝo plenigis la senobstrukcan kaj malplenan ĉielon. La plena ĉielruĝo male vidiĝis malplena, tamen, se oni enrigardas ĝin, la rigardo senfine penetras. La iom post iom etiĝantaj aviadiloj malaperis en tiun profundan ĉielruĝon, kaj la vespere atingantaj aviadiloj elkreskis el la ĉielruĝo kiel unu punkto, kaj alproksimiĝis al Gimpo. La ĉielo ekster la verandfenestro aspektis kvazaŭ akvario en kiu fiŝoj flugas, laŭ la esprimo de mia fratino.

"Ĉu pasaĝeroj vere vivas en ĝi?"

Ĝis la vespera ĉielruĝo malaperis kaj eklumis elektraj lampoj en la urbo Gimpo, la fratino rigardadis la vesperan ĉielon. Mi metis sur

---

5) 汉江, 流经首尔市内, 将首尔分成南北两部分, 是朝鲜半岛第四大河流。
6) 西海, 中国称为黄海

ŝian tablon aŭ vinon aŭ varmigitan lakton. La fratino poiome lekis la randon de la glaso.

Jaron post jaro la apetito de mia fratino iĝis pli delikata. De sia juneco ŝi ne povis elteni la fumon de rostata viando. Ekde sia menopaŭzo ŝi, se troviĝis unu ero de porkaĵo en kimĉisupo, rifuzis gustumi tiun supon. Eĉ tiam, kiam mi elmetis la viando-ingrediencojn el la supo, ŝi tamen divenis la viandecon per la odoro de la supo. La fratino kutime manĝas nek viandon nek fiŝodoran fiŝon. De kiam ŝi fariĝis maturaĝa, ŝi apenaŭ manĝis. Printempe ŝi manĝis miksitan blankan rizaĵon kun malgrande tranĉitaj samkvantaj sovaĝaj ajloj kaj kapseloj, sojsaŭco kaj sezamsalo. Somere ŝi manĝis rizaĵon metitan en akvon kun peklitaj salikokoj aŭ spicita mara laktuko. Unu el la someraj almanĝaĵoj de la fratino estis ankaŭ peklita kukumo, kiun ŝi prenis kun kapsiksaŭco. La almanĝaĵoj, kiujn mia fratino senplende prenis, estis frititaj sekigitaj engraŭloj, akvokimĉio el petroselo, kaj fritita lotusradiko.

Ŝia edzo, kiu mortis antaŭ du jaroj, estis unu el la estraranoj de la ferkompanio, kiu situas en Sudmara Libera Komerca Kvartalo. Tiu bofrato vivis por sia laboro dum sia tuta vivo. En la tempo de subsekciestro kaj sekciestro li okupis la oficojn pri importo de fermaterialoj aŭ pri eksporto de ferproduktaĵoj. Depost sia posteniĝo kiel komerca estrarano, li estis okupita de la labordisputo kaj persona administrado de la kompanio, en kiu laboris pli ol dekmil produktlaboristoj. Mia bofrato ĉiam surmetis la kravaton kun la emblemo de tiu kompanio, ankaŭ surmetis la insignon de tiu kompanio sur la supera parto de sia kostumo. Mia bofrato pasigis plimulton de sia vivdaŭro en la laborejo ĉe la Maro Suda. Tial nur aŭ en semajnfino aŭ en ferioj li vizitis Seulon. Kiam ajn li revenis al sia hejmo, kun la vortoj ke en la Maro Suda multe kreskas molaj kaj aromaj petroseloj, li aĉetis kaj kunportis la marherbaĵojn nomatajn petroselo, engraŭlo, mara laktuko kaj bruna algo. Mia fratino sendis al mi, akvokimĉion el petroselo kaj krucifero, kaj sekigitajn engraŭlojn frititajn kun fizalidkapsikoj kaj bongustigita per sojsaŭĉo. La supo de tiu akvokimĉio estis maldense purpura pro la eliro de la krucifera koloro. La petroseloj jam salitaj estis molaj, kaj en la klorofilo akoraŭ restis la aromo de la tero kaj sunradio. Mi loĝas sola. Mi do ne povis formanĝi ĉiujn almanĝaĵojn, kiujn la fratino sendis al mi. Do mi vokis pakportiston por ke li transdonu la manĝaĵojn al mia onklo.

Mia bofrato kutime vizitadis Seulon per aviadilo. Lia kompanio ĉiam pagis por li la veturkoston. Sed antaŭ du jaroj, li mortis pro akcidento de aviadilo, revenvoje al sia kompanio post la ferioj de la mezaŭtuna festo. Mia fratino akiris stirpermesilon de aŭto en la juneco, tamen ŝi preskaŭ ne stiris aŭton krom veturigi sian edzon ĝis la flughaveno Gimpo, kiam li vizitis la hejmon. Ankaŭ en la tago de lia morto, ŝi veturigis lin ĝis tiu flughaveno per sia aŭto. La aviadilo ekfluginta sur la flughaveno Gimpo ne povis sukcese surteriĝi sur la kurejo en la celo, sed koliziis kontraŭ proksima monto kaj falis, 50 minutojn post la ekflugo. Mortis cent tridek el cent kvindek pasaĝeroj. Tiam mi veturigis al tiu akcidenta loko la fratinon, kiu ne povis stari per si mem. La 119-savtrupanoj malsuprenportis de la monto la disfalintajn brakojn, krurojn kaj korpojn per brankardoj. Tamen la kadavro de mia bofrato ne estis terure damaĝita kompare kun la aliaj. Dank' al la kravato kun la emblemo de tiu kompanio lia identeco estis facile konfirmita. Laŭ la pasaĝerlisto, kiun la anoj de la aviada kompanio disdonis, la seĝo de mia bofrato estis ĉe A-6. La ses pasaĝeroj en la vico A estis ĉiuj mortintaj. Tamen tiuj en B-4, B-5, B-6 tuj malantaŭ la A-vico, ĉiuj postvivis. La posta sidloko de la bofrato estis B-6. Ni surloke finis la procedon konfirmi la identilojn de la mortinto kaj lia familiano, kaj tial revenis al Seulo, preninte la kadavron de la bofrato en la fridigambulanco. Ni ekiris vespere kaj veturis nokte. La ambulanco antaŭe kondukis nin, kaj mia aŭto, preninte mian fratinon, sekvis ĝin. La aŭtoj de liaj kompanianoj kun longa vico sekvis nin. En la aŭto mia fratino ne ploris, nek manĝis, nek trinkis. Ŝi foje elblovis nazmukon, mallaŭtigante la bruon. La elblovsono de la nazmuko aŭdiĝis al mi kvazaŭ ploro. Kiam mia aŭto preterkuris la ripozejon Jukjeon, ŝi diris:

"Franjo, la pasaĝero en B-6 postvivis; tamen kial tiu en A-6 mortis?"

Mi ne povis respondi, sed ŝi ree demandis:

"Franjo, kial tio povas esti?"

Ŝi demandis nenion per la demando. La vortoj kies finoj estis kovrataj de la sono elblovi nazmukon, ne atendis ian respondon. Mi ĉiufoje ne povis respondi al ŝiaj vortoj. Tiam subite okazis ĉe ŝi monata sangelfluo en la aŭto. La fratino kun ruĝiĝinta vizaĝo premis sian ingvenon per ambaŭ siaj manoj.

"Franjo, kiel fari? Subite, kio estas tio ĉi?"

"Kio al vi, fratino?"

"Estas varmege. Io elŝoviĝas el mia korpo."

Mi stopis mian aŭton ĉe la vojflanko. Jam estis post la noktmezo. Ĉar alproksimiĝis monataĵo ĉe mi, mi kunportis menstruan vindotukon en la mansako. Mi, lumiginte la lumilon en la aŭtomobilo, elprenis la vindotukon, kaj ŝiris ĝian koverton. La fratino, sidanta sur la seĝo apud la mia, malzipis sian pantalonon kaj levis siajn sidvangojn. Mi tiris ŝian pantalonon sub ŝiajn sidvangojn. Ŝia kalsoneto estis malsekigita, kaj odoris fiŝe. Ŝajnis, ke multe da sango estis subite ellasita. Sur ŝiaj femuroj troviĝis makuloj de sango penetrinta tra la kalsoneto. Mi, malfermis tranĉilon ligitan kun ungtondilo, tranĉis la kunigitan parton de la forkiĝo de la kalsoneto. Kiam mi plu tranĉis ambaŭ flankajn partojn de la kalsoneto, mi facile povis demeti la kalsoneton de mia fratino sen levi ŝiajn krurojn. Sur ŝia ventro ekzistis spuro de kaŭĉukbendo, ŝajne pro la premo de la kalsoneto. Mi, per menstrua vindotuko, viŝis la internajn partojn de ŝiaj femuroj. Kiam mi viŝis, ŝi malfermis ambaŭ krurojn. Mi enmetis la demetitan kalsoneton kaj la uzitan menstruan vindotukon en plastan saketon, kaj ĵetis ĝin al la malantaŭa sidloko en la aŭtomobilo. Nek ŝi nek mi havis liberan kalsoneton. Mi do, elpreninte tranoktan menstruan vindotukon, gluis ĝin enen de ŝia pantalono. Ŝi ankoraŭfoje levis siajn sidvangojn. Mi suprentirante la pantalonon vestis ŝiajn sidvangojn kaj butonumis ĝin. Probable la menstrua vindotuko algluita al la pantalono ne bone trafis al ŝia subo.

"Fratino, iomete eltenu. Ni preskaŭ atingis la celon. Ĉar la vindotuko estas dika, ne okazos ia problemo."

"Franjo, pardonu!..."

Mia fratino ploris kovrinte sian vizaĝon per du manoj. Ŝi ne ploris, eĉ kiam atingis malsupren de sur la monto la brankardo kunportanta la kadavron de ŝia edzo, kiu estis surmetinta la kravaton kun la emblemo de la kompanio. Ŝi, starante for de la brankardo, ne venis proksimen al ĝi kaj nur elblovis nazmukon. Sed ŝi longe ploris post la prizorgo pri la neatendita menstruo. Ĉu ŝi havas ian kialon plori demetante la kalsoneton malsekan je sango? Aŭ ĉu ŝi ploras pri la sidloko inter A-6 kaj B-6? Mi iam legis en iu virina gazeto, ke virinoj, al kiuj alproksimiĝas menopaŭzo, povas sangi eĉ okaze de ia malforta ŝoko. Mi ne povis imagi, ke la subita morto de ŝia edzo kaŭzis abruptan ovoladon kaj sangelfluon en ŝia seksorgano. En mia koro aperis aroj da fiŝidoj kiuj eloviĝas, aroj da raraj fiŝidoj kiuj direktiĝas al la Alaska Markolo, forlasinte surfacon de la enlandaj akvoj de la Maro Orienta kaj aroj da fiŝidoj kiuj similas al kudrilfino anhelante kaj sin movetante finfine iras al la maro, ligante morton al morto. Ĉu mi do flaris fiŝodoron el ŝia malseka kalsoneto? Ŝia plorado, kvazaŭ etendiĝanta, estis malalta kaj kvieta, Kvankam mi ne povis enrigardi la foran internon de la plorado, mi sentis, ke ĝi penetras en mian korpon per profunde trempanta osmozforto.

"Ne ploru, fratino. Ĉu tio ĉi estas priplorinda?"

Mi ŝin brakumis. Ŝiaj ŝultroj en mia sino malalte tremis. Ŝia densa hararo odoris olive. Mi ne povis movi la aŭton, ĝis ŝi ĉesis plori. Mia aŭto plu staris ĉe la vojflanko. Senĉese preterpasis la lampoj de tro rapide kurantaj aŭtoj sur la ekspresa vojo en nokto. Kiam kamionoj preterkuris, la tero vibris kaj mia aŭto skuiĝis. Post iom da tempo ŝi ĉesis plori kaj, retrorigardante la rubaĵsakon sur la malantaŭa sidloko, diris:

"Franjo, ĝin forĵetu. Ĉu ĝi ne odoras?"

"Estu trankvila, fratino. Mi bone pakis. Mi forĵetos ĝin en la vononta ripozejo.

"Mi ĝin malŝatas. Ĉi tie ni forĵetu."

"Ne, fratino. Ĉi tie ne ekzistas rubujo."

"Vi purigu viajn manojn en la ripozejo."

"Jes, mi obeu vin. Provu iom dormi."

Mi ree ekfunkciigis la motoron kaj eniris en la veturlinion. La fratino, ĉirkaŭpreninte sian bruston per siaj brakoj, malgrande kaŭrsidis. Ne estis malvarme, tamen mi funkciigis la aervarmigilon de la aŭto. Tiunokte la fratino, ne vestinte sin per kalsoneto en la pantalono, revenis al Seulo. Ŝia menopaŭzo malrapide progresis, kaj ŝajne, en tiu tago komenciĝis la simptomo. Kiam ni estis trapasantaj la vojimpostejon de la ekspresa vojo, ŝi diris al mi:

"Franjo, kial tia afero elvenas el la korpo?"

Mi ne povis respondi.

Mia apartamento, kiu vastas je ĉirkaŭ 43 kvadrataj metroj, ne havas apartan gastĉambron, sed nur unu ĉambron, kuirejon kaj diverscelan ĉambreton. La distanco inter la verando kaj kuireja tablo estas longa je dek paŝoj. La fratino sidanta ĉe la verandfenestro rigardante la aviadilon en la vespera ĉielo diris: "Franjo, kiel ĝi povas malaperi, kvazaŭ ĝi penetrus? Ĉu pasaĝeroj vere ekzistas en ĝi?"

Ankoraŭfoje ŝiaj vortoj estis tiel malprecizaj, ke mi sentis mian bruston premata. Mi preparis la vespermanĝon, fritante engraŭlojn kun fizalidkapsikoj. La engraŭloj ankoraŭ ne estis sufiĉe salgustaj, sed la kapsikoj estis jam tro frititaj, tiel ke ili ŝajnis tro molaj. Mi malgrandigis la flamon de la gasa kuirforno kaj la kapsikojn kolektis ĉe la rando de la pato. La aromo de la kapsikoj salgustigitaj per sojsaŭco plenigis la ĉambron.

"Franjo, ĉu ĝi ne estas tro sala?" Kun la kapo plu direktata ekster la fenestron, ŝi diris: "Probable, ĝi estus iom tro sala."

Ŝajne ŝi povas diveni salecon per la odoro. Aŭdiĝis al mi, ke ŝi diras flarante la odoron de vespera nebulo ekster la fenestro. Estus same, eĉ se ŝi dirus: "Franjo, ĉu tio ne estas iom malsala?" La ĉielruĝo forbrulanta trans ŝia dorso estis pelata de la mallumo kaj apenaŭ pendis en la rando de la ĉielo. La lumoj de la elektroproviza turo transiranta la vastan kampon kaŝis sin malantaŭ la mallumaj monton. La vesperaj montoj trans la rivero aspektis pli fore, kvazaŭ la tempo tiras ilin al la sunsubiro.

"Franjo, malgrandigu la flamon kaj enverŝu en la paton duontason da akvo. Ne gravas, eĉ se troviĝas iom da supo en ĝi." Ŝi diris tiel.

Tiam mi sentis maltrankvilon, ke ŝi, kiel vespera

aviadilo malaperanta en la ĉielruĝon, penetros en la mallumiĝantan ĉielon.

Kiam la fratino tranoktis en mia apartamento, ŝi kuŝigis sin sur litkuseno apud mi. Kiam ŝi demetis sian mamzonon, ŝi ne povis etendi ambaŭ brakojn sur sian dorson:

"Franjo, ĉu vi povas? Tio ne eblas por mi.", ŝi diris, ke, pro maljuniĝo, ŝiaj brakoj ne etendiĝas ĝis ŝia dorso. Ĉi-jare ŝi havas kvindek kvin jarojn. Mi, kiu estas kvin jarojn malpli aĝa ol ŝi, ankoraŭ povas etendi du brakojn ĝisdorse.

"Jes, mi povas, fratino."

"Mi ne povas, ekde kiam mi havis la jaraĝon de vi nun. Pri tiu afero, mi ne povis peti helpon de mia edzo."

Ŝi, mallevinte ambaŭ bendojn de la mamzono de sur siaj ŝultroj, turnis sian mamzonon, malantaŭon antaŭen kaj malkroĉis la hoketon inter siaj mamoj. Ĉiufoje, kiam ŝi demetis sian mamzonon, ŝi sidis vidalvide kun mi, por ne montri al mi la mamtasojn pendantajn sur ŝia dorso. Ŝia edzo loĝis ĉiam en la laborejo kaj la du filoj frue edziĝis. Ŝi do vivis ĉiam sola. Kiam ŝi vestis sin per bluzo aŭ unupeca vesto kun multaj butonoj sur la dorso, ŝi, antaŭ ol surmeti la veston, butonumis ĝin, pro tio ke ŝiaj manoj ne atingas ĝis surdorse. Ŝi, kiel punata infano per suprenlevitaj brakoj, tiel vestis sin per la butonumita vesto, unue traborinte ambaŭ brakojn tra la manikoj. Do foje ŝia nova bluzo el lintolo farita de Giorgio Armani krevis dum la surmetado.

"Franjo, krevis la bluzo. Mi bezonas pli da ekzerco, ĉu ne?", la fratino telefonis al mi, kaj babilis longe pri la fuŝita bluzo.

"Fratino, vi portu veston kun butonoj sur la antaŭa parto."

"Jes, mi devus fari tiel. Neniu estas ĉe mi kaj miaj manoj ne atingas dorsen."

Kiam ŝi vizitis bazaron por aĉeti veston, ŝi ofte vokis min kaj donacis al mi plurajn kompletojn da vestoj. Kiam ŝi elektis veston, ŝi direktis sian atenton al ĝia aranĝparto. Neniam ŝi ŝatis aĉeti veston aranĝitan per zipo aŭ adheraĵo, nek veston kun rubando sur la kolumo aŭ sur la manikfinoj. Kalsoneton kun plej mola kaŭĉukbendo de ĝia talio ŝi kutime elektis. Mamzonon kun iom malstriktaj kaj malmolaj dratoj sub la mamtasoj ŝi kutime elektis. Foje, ŝi bezonis pli ol unu horon por elekti unusolan kalsoneton. Ŝi ŝatis nur vestojn aranĝitajn per butonoj aŭ ŝnuroj. Se la butonoj de la vesto tro koheris kaj premis la tolon, ŝi ne aĉetis ĝin. Ŝi preferis la vestojn, kies butonoj estis ligitaj tiom malstrikte, kiom la dikeco de la tolo. Estus malfacile por ŝi, kies manoj ne atingas dorsen, surmeti aŭ demeti bluzon kun butonoj sur la dorsa parto. Iam ŝi venis al mia apartamento surmetante ĵaketon sur la bluzon, kies trian kaj kvaran butonojn ŝi ne sukcesis butonumi. Mi do butonumis la trian kaj la kvaran de ŝia dorso.

Kiam mi akompanis mian fratinon butikumi, mi eksciis, ke ŝi jam scias la fakton, ke mi havas apartan amikon. Tiutage ŝi donacis al mi kompleton da vestoj por gratuli min pro la naskiĝtago. Estis la 50-a datreveno de mia naskiĝo. Pro la subite malvarmiĝinta vetero, mi eliris portante pluvmantelon kun zono sur ĵerzo el haroj de ankara kuniklo. Mi tagmanĝis kun mia fratino. Ni manĝis gacuonajn nudelojn. Kaj poste ni iris al ĉiovendejo. En ĵerzovendejo ŝi elektis ĵerzon el kaŝmiro farita de Malo, Italio. Ĝi estis violkolora kaj havis kolumon duon-testudan.

"Franjo, via kolo estas longa. Do duon-testuda tipo bone sidus al vi. Ĉu ĝi plaĉas al vi?"

Mi kapjesis al ŝi. Dum komizo pakis la ĵerzon, la fratino malfermis la antaŭan vastigpecon de mia mantelo kaj, tuŝante mian ĵerzon el haroj de ankara kuniklo, diris al mi:

"Franjo, vi ne plu vestu vin per ĵerzo el haroj de ankara kuniklo."

"Kial, fratino? Ĉu ĝi ne bone sidas al mi? Kiel komforte ĝi varmigas min!"

"La haroj de ankara kuniklo facile eliĝas, ĉu ne? Sed la haroj de kaŝmiro ne estas tiaj. Ne revenigu viron al lia hejmo, en la vesto kun kuniklaj haroj."

La fratino deprenis kelkajn harojn pendigitajn sur

mia skarpo. Ŝia vivo estis plena de malgrandaj kaj malgravaj aferoj. Ili premis ŝian vivon kaj ŝi ne povis liberiĝi de tiuj implikantaj bagateloj. Sed kiam la fratino deprenis kelkajn harojn sur mia skarpo, mi ekpensis pri la pezo de tiuj bagateloj. Kiel ŝi rimarkis tion? Ĉiufoje, kiam ŝi vizitis mian apartamenton, mi atente kaŝis la aĵojn de viro. Mi pakis per pakumtolo cindrujon, razilon, ŝtrumpetojn, robon kaj enmetis tiun pakon en pomskatolon ekster la diverscela ĉambreto, por ke ŝi ne trovu ĝin. Ĉu ŝi trovis ion, kion mi hazarde ne pakis? Aŭ ĉu ŝi, kiu havas tre delikatan senson je malgravaĵoj, kaptis en mia malvasta apartamento fumodoron aŭ piedodoron de la viro? Ĉu la vortoj- Ne revenigu viron al lia hejmo, en la vesto kun kuniklaj haroj- aludis, ke ŝi scias ankaŭ la fakton, ke mia amiko havas edzinon? Tiam mi memoris, ke ekde iam ŝi, ĉiufoje, antaŭ ol viziti min, telefone demandis min:

"Franjo, ĉu mi vizitu vin je ĉirkaŭ la kvina horo vespere? Ĉu vi permesus al mi tranokti ĉe vi?"

En la tagoj, kiam li promesis viziti min, mi malakceptis ŝin, pretekste, ke amikino mia venis de Usono aŭ mi partoprenos edziĝan ceremonion de filo de mia iama samklasano.

Prenante la kaŝmiran ĵerzon, kiun ŝi aĉetis por mi, mi sentis maltrankvilon pro la dubo, ĉu li foje ne revenis al sia hejmo, portante harojn de ankara kuniklo sur sia jako? Des pli maltrankviligis min, ke mia ĵerzo el ankara kuniklo havas longajn harojn kaj maldensan rozkoloron. Kiam ni eliris el tiu ĉiovendejo, ŝi diris kun intence neagresa tono:

"Franjo, ĉu viaj haroj ankoraŭ ne elfalas multe?"

"Miaj haroj iom elfalas, kiam mi purigas ilin kaj okulfrape dum mia menstruo."

"Por vi estas tempo, ke haroj elfalas. Do vi aranĝu viajn harojn, harfinojn supren, kaj fiksu per etaj pingloj. Ankaŭ falintaj haroj tre facile gluiĝas sur veston."

Ŝi verŝajne kredis, ke la viro, kiu lasis postsignon en mia apartamento, havas edzinon. Ŝia konvinkiĝo ne estis erara. Pri tio mi ne povis respondi al la fratino. Ŝi ree diris:

"Vi havas belan nukon. Do estus bone, se vi tenus viajn harojn suprenaranĝitaj. Per tio vi aspektus pli alta."

Mi ne povis diri al la fratino, ke se mi suprenligus miajn harojn per pingloj, ili fiksiĝus kaj ne disiĝus. Tio, kvankam ne malbona, malfaciligus al la amiko karesi miajn harojn. Aldone al tio, ne plaĉus al li miaj faskigitaj haroj. Por mi ne eblis diri: "Fratino, se mi havus perpingle suprenaranĝitajn harojn, mi povus esti belaspekta, sed ne estus komforte, kiam mi estas brakumata en lia sino." Pro la kaŝmira ĵerzo kiun mi ricevis kiel donacon, ŝajnis esti ke mi konstatigis al ŝi mian konduton. Sed poste, ŝi neniam menciis pri la afero de la fremda viro. Kiam li vizitis min, mi vestis min per la ĵerzo, kiun ŝi donacis al mi, sed mi ne suprenligis la harojn.

Mia fratino timis tuĉe nigran mallumon. Do eĉ dum dormo ni devis lumigi elektran starlampeton. Ŝi sternis amelitan kotonmuslinan litotukon sur sia lito. Kiam ŝi movis sin sur la lito, aŭdiĝis kvazaŭ la sono de tuŝataj sekaj herboj. La simptomoj de ŝia menopaŭzo evoluis pigre kaj daŭris longe. La menstruo foje ne aperis dum kelkaj monatoj kaj foje subite aperis sangelfluo. Por ŝi mi purigis kaj amelis la muslinan litotukon kaj disponigis tranoktan menstruan vindotukon. Kiam li vizitis min en la tago kaj tiunokte ŝi tranoktis en mia apartamento, mi interŝanĝis la litotukon per la nova. Ĉar mi dubis, ĉu ĝi estus tro ĉifita aŭ makulita per io.

Ankaŭ en la plenluna nokto de la lasta januaro laŭ la luna kalendaro, ŝi tranoktis en mia apartamento. La luno sinleviĝis malantaŭe de la monto trans la rivero kaj la lunradioj lumis ĝis la malantaŭo de la diverscela ĉambreto. Ĉar nenia baro troviĝis inter la luno kaj la vitro, la eno de la ĉambro estis kvazaŭ tiu de la luno. La lunradioj sur ŝia muslina litotuko aspektis malvarmaj. Fore aspektis en la lunradioj la distancoj inter diversaj mebloj- tualettablo kaj kalendaro, elektra starlampeto kaj televidilo-. Kaj ŝajnis ke se oni mezurus la distacojn, necesus iu alia mezurilo, kiun mi ne konas. Kiam mi malfermis la kurtenon, la lunradioj brilis en la ĉambro. Pro tio mia fratino ne maltrankviliĝis eĉ sen la lumo de la elektra starlampeto. Ŝi kuŝiĝis apud mi. La luno ŝajnis tuŝebla ĉe ŝia frunto kaj enrigardeblis eĉ la ombro makulita en la luno.

En la tagiĝo de sekvanta tago sangelfluo okazis ĉe mia fratino. Mi vekiĝis pro la bruo farita de ŝi kaj vidis, ke ŝi zorge deprenas la litotukon, por ne veki min. Ŝiaj femuroj kaj sidvangoj sen la kalsoneto estis maldense bluaj en la lunradioj.

"Franjo, pardonu min."

Mia fratino, kurbiginte sian nudan korpon kiel salikoko, peze elspiris. Mi, depreninte la malsekan litotukon, enmetis ĝin en lavmaŝinon kaj, la fratinon stariginte, puŝis ŝin en banĉambron. Mi altigis la gradon de ĉambrovarmiga kaldronego. Kaj mi enmetis en la banĉambron kalsoneton por ŝi, algluinte tranoktan menstruan vindotukon sur ĝi. Post la aranĝo de la afero, ŝi ree kuŝiĝis sin apud mi.

"Franjo, ni fermu la kurtenojn. Pro la luno..."

Mi, ferminte tiujn kurtenojn, lumigis elektran starlampeton. Mi elprenis stebitan litaĵon kaj sternis ĝin sur ŝian litkovrilon. Ŝi delire murmuris, kvazaŭ ŝi parolus al si mem:

"Mi vekiĝis dum la dormo, kaj tiam la luno subite aperis antaŭ miaj okuloj. Ŝajnis al mi, ke mi estas ĝuste en la mondo post la morto. Kie mi estas... Mi deziris voki iun, tamen mi povis nek memori nek elparoli ties nomon. Poste mia korpo varmiĝis kvazaŭ bulo da fajro, kaj subite elversiĝis la menstruo."

"Mi komprenas vin, fratino. Ne parolu plu pri tio." Ŝi etendis sian brakon kaj karesis miajn harojn.

"Fratino, ĉu io doloras vin?"

"Mi sentas, ke miaj internaĵoj ellasiĝis el mia korpo."

Pala estis ŝia vizaĝo post la malapero de la ruĝiĝo kaj ŝi stertoretis fine de ĉiu spiro.

"Franjo, kiam ĉe mi okazas sangelfluo, mi sentas, ke elverŝiĝas bulo da fajro el mia korpo. Kvazaŭ fajreroj, kiuj estas pli kaj pli grandiĝantaj, proksimiĝus al mi, kaj subite vulkanus el mia subo. Kia estas tio ĉe vi?"

'Kion mi sentas, kiam ĉe mi okazas la monataĵo? Tiam mi depremiiĝas neelteneble kaj nepriskribeble. Mallumo penetras en mian korpon kiel nebulo, kaj plenigis la tutkorpajn kapilarajn sangangiojn. Kvazaŭ akvo falus el spongo, kiu plene sobris akvon, kaj kvazaŭ ŝaŭmo bolus en la okuloj de krabo, la sango iom post iom apenaŭ elvenas el mia korpo. En tiaj tagoj mi, ferminte la kurtenon eĉ dumtage, kuŝas sola tutan tagon en malluma ĉambro.'

Mi ne povis klarigi la senton pri mia korpo, nek atingi ŝian senton, ke bulo da fajro torente elverŝiĝas. Post kiam ŝi denove endormiĝis, mi palpis la plankon sub ŝia litkuseno. La planko de la ĉambro estis varma.

Kara Panjo,

Laŭ la letero, kiun mi hieraŭ ricevis de la paĉjo, mi eksciis, ke vi, panjo kaj paĉjo, nun aparte loĝas laŭ la kondiĉo, ke vi divorcos. Paĉjo diris en letero, ke la situacio jam daŭris pli ol dek monatojn. Se estas tiel, vi apartiĝis tuj post mia aliro al Usono. Mi tre bedaŭras, ke dum tiuj dek monatoj vi neniam menciis al mi pri tio, kiam mi telefonadis al vi. Vian novan adreson mi akiris pere de la onklino, via pliaĝa fratino. Mi ploris, skribante vian novan adreson sur la koverto de tiu ĉi letero.

Min ĉagrenis, ke vi ambaŭ nur kutime kunvivis sen ami unu la alian. Kaj mi ne estis ekzaltata pri la sorto, ke mi estas la filino de vi ambaŭ. Bonvole konsciu la fakton, ke ankaŭ mi estas viktimo. Sed ĉu vi pensas, ke vi povas trovi ian ĝojplenan vivon en la apartaj vojoj, kiujn vi du respektive elektis? Al vi la vortoj, kiujn mi, juna filino, diras, eble sonas impertinentaj, sed bonvole konsideru, kion vi gajnas kaj kion vi perdas: kion vi povas gajni kaj kion vi ne povas gajni.

Pasis nur unu jaro de kiam mi ekstudis en Usono kaj mi ankoraŭ bezonas longan tempon por diplomiĝi, sed nun vi, miaj gepatroj, separiĝis. La afero tiel pezas sur mia koro, ke mi perdis la deziron eĉ preni libron. Kaj en la letero paĉjo diris sian planon, ke kiam vi du laŭleĝe divorcos, li kaj vi dividos la tutan havaĵon per la proporcio de 7 : 3. Kaj li diris, ke ankaŭ mia lernokotizo devas esti pagata de li kaj vi en 7 : 3. Kiel mi povas bone studi pro la maloportuneco, se mi devas ĝin aparte ricevi de vi du? Vi bone scias, ke mi estas tiel malforta, ke mi ne povas daŭrigi mian studon per nokta kromlaboro, ĉu ne? Do panjo, mi petas de vi ankoraŭfoje profunde konsideri la aferon, kaj trovi ian solvon en viaj ĝisnunaj tagoj. Ankaŭ al paĉjo mi leteris per la sama enhavo. Mi esperas, ke mia letero estos unu el la etaj semoj por ree kunigi viajn vivojn.

Panjo, mi amas vin.

— Via filino,

Yeonju

Estis letero haste skribita sur elŝirita folio el studenta kajero. Mi ne povis ŝanĝi la antaŭe uzatan telefonnumeron, post mia transloĝiĝo al nova apartamento. Mi daŭre uzis la malnovan numeron, ĉar min tro ĝenis klarigi al Yeonju, kaj al miaj onklo kaj nevoj, dise loĝantaj en Pohang kaj Kyeongju, kial mi transloĝigis al nova apartamento kaj mi ŝanĝis telefonnumeron. Intertempe mi diris ĉiufoje, kiam Yeonju telefonis al mi:

"...Ĉu vi fartas bone? Ho jes, mia eta filino, mi vidis en la televido, ke peze neĝis en orienta Usono. Ĉu via nova aŭtomobilo bone funkcias? Kial vi ne aĉetis la aŭton kun aŭtomata rapidŝanĝilo, sed tiun kun la mana? Sur glaciiĝinta strato vi singarde konduku la aŭton. Vi kutime ne rigardas retrospektan spegulon. Ho jes, via paĉjo estas ĉiam sama. Laboras, ludas golfon, drinkas kaj tiel plu···."

Mi parolis kiel preterpasanta vento. Kiam fojfoje en la fino de la konversacio Yeonju petis de mi transdoni la telefonon al ŝia paĉjo, mi pretekstis: "Via paĉjo nun estas oficvojaĝanta. Vi scias, ke li tre ofte oficvojaĝas, ĉu ne? Li nun estas en la insulo Jejudo. Kaj post sia ofico li golfludos antaŭ ol reveni." Ŝajne ankaŭ mia edzo dume ne informis la filinon Yeonju pri nia afero.

Sidante ĉe la tablo apud la verandofenestro, mi pensis, ĉu mi skribu al ŝi la respondon. Sed neniuj respondendaj vortoj elvenis el mia menso. La premo, kiu ne formatiĝis kiel vortoj, alkuris kvazaŭ fluso kaj blanke forviŝis la vortojn. La vortojn 7 : 3 mi ne aŭdis de mia edzo. Nur 7 : 3 restis en la loko, kie malaperis kaj la vortoj kaj la tagoj. Mi momente pripensis, kian procedon ni bezonas por dividi la posedaĵojn en la porciojn 7 : 3, mi subite ĉesigis tion kaj ankoraŭfoje legis la leteron de Yeonju. Estis skribite '7 : 3', ne 'Sep : tri'. Leginte la leteron, mi forĵetis ĝin en la rubujon. Sed ree elpreninte ĝin el la rubujo, mi ĝin disŝiris kaj forĵetis.

Mi subite rememoris la vomemon suprenpuŝiĝantan al mia gorĝo, kiu ofte atakis min, dum mi estis graveda je la filino Yeonju. Ĉiam, kiam suprenŝoviĝis la vomemo, kies originon mi ne sciis, inversiĝis la fora fino de mia intesto. En ordinara stato mi ne povas senti la ekziston de la organo, nomata intesto, sed je la forte suprenpuŝanta vomemo mi povis senti ĝin funkcianta fore en mia korpo, kaj ĝian ribelon. Tuj post la vomo, aperis anserhaŭtaj skuoj, similaj al milieroj sur mia kolo kaj mia vizaĝo brulis ruĝe. Ĉiam, kiam la odoro preterpasis mian nazon, okazis al mi samtempe la simptomo rifuzi manĝaĵon kaj ankaŭ tiu de bulimio. Tial mi povis nek manĝi nek nemanĝi. Mi vomis ne nur ĉe la odoro blovanta, kiam oni kuiris viandon aŭ fiŝojn, sed ankaŭ ĉe la odoro de bolanta rizo, de kondimento el bolantaj ramjon-oj,* ĉe la fetoro leviĝanta el kloako en banejo, kaj ĉe la korpodoro de grandaj hundoj, kiuj preterpasis min, en pluva tago. La naŭza odoro de matena nebulo malseke etendiĝis kaj pezis sur min, kvazaŭ ĝi adherus al mia korpo. Kiam mi flaris la odoron de viando aŭ de fiŝo, mia vomado estis tiel forta kaj ronda, kvazaŭ inversiĝus mia internaĵo. Kaj je la odoro de legomoj kaj de nematuraj fruktoj mi vomis tiel akre, kvazaŭ ĝi pikus min per lanco. Sed fojfoje mi subite deziris manĝi la manĝaĵon, al kiu malprecize kaj maldense restas nur la postsigno de la odoro. Mi do havas sperton maĉi aŭ krudajn fruktojn de maizo aŭ krudajn batatojn. La odoro de kruda kukumo pikis min tiel forte, ke mi provis maĉi, sed tuj kraĉis ĝin.

Yeonju enplantiĝis en mia korpo ĉirkaŭ la unua deko de decembro. En la sekva frua printempo, ĉirkaŭ tri monatojn poste de la gravediĝo mi ofte sentis dormemon kaj ankaŭ miajn mamojn pezaj. La dormemo malvigligis min, kvazaŭ mi dronus en varma akvo. Mi estis malstreĉita, sed tamen estis malfacile malobei tion. Mi memoras, ke mi apenaŭ rezistis al la impulsa deziro manĝi la flavan teron ŝvelintan de sunradioj, kiam mi promenis en parko en la printempaj tagoj, en kiuj mi dormetis. Sunradioj penetris en la truetojn en la tero, kaj ties lumoj kaj ombroj tordiĝis en la truoj. La tero aspektis mola kiel tritikpano. Ŝajnis al mi, ke se mi prenus tiun teron ŝvelintan de sunradioj, mi povus esti komforta kvazaŭ mi kuŝus en mola tero, kvazaŭ la lumoj bolus inter miaj fingroj, piedfingroj, femuroj kaj en mia utero. Kial al mi vidiĝis tiu tero kiel manĝaĵo kaj kial la impulso manĝi teron estis tiel forta? Kvankam mi ne malscias, ke ĉiuj el la furiozaj signaloj senditaj de la korpo estas ŝprucoj, kiuj vokas vanaĵojn, kaj ke la objekto de tiuj sovaĝaj impulsoj estas nek nematura kukumo nek kruda batato nek flava tero, tamen ju pli klaras la vaneco de la vanaĵo, des pli fortis la impulso de la korpo, direkte al la vanaĵo. Estis ĝuste mia korpo, kiu sin alkondukis al tiuj objektoj, kiuj ne elteneblas nek enŝoveblas en la inteston.

En tiu tago, mi ne manĝis teron. Nun, la memoro de la vomemo estas malpreciza. El la gusto de la krudaj batatoj, aŭ krudaj maizoj, kiujn mi maĉe gustumis, ne plu restas eĉ spuro en mia memoro. Sed la letero de Yeonju, kiu venis trans la maron, vekis la streĉon de tiu nekonata impulso, kiu leviĝis al la vanaĵo. Por mi, kaj kredeblis kaj nekredeblis la fakto, ke Yeonju, kiu sendis la leteron al mi, estis tiu organismo, enplantita en mia korpo kiel fiŝeto. "Yeonju, kie vi estas? Panjo nun sopiras vin. Mi volas tuŝi vin···." Mi volis tiel komenci la respondon, sed mi rezignis. Ĉar ŝajnis, ke mi ne povus trovi la sekvajn vortojn.

"Pardonu..."

Tiel mia edzo komencis la vortojn, ke ni divorcu. Lia tono estis tiel ordinara, kvazaŭ li dirus la kutimajn vortojn jenajn:

"Ĉu jam estas tempo ree aranĝi mian hararon?"

"La pantalono ĝenas min, ĉar mia talio tro dikiĝis."

"Mi oficvojaĝos ekde la sekvanta semajno."

"Pro sabotado malfruiĝas la surŝipiĝo de varoj. Tial la prezidanto de la kompanio estas iritita. Direktoro de administrado respondecas pri konflikto inter la kompanio kaj la laboristoj, sed tamen la prezidanto de la kompanio tre ofte riproĉas min pri tio. Mi ne povas kompreni lin." ktp.

Fojfoje troviĝis virinaj haroj sur la subĉemizo de mia edzo, kiam li revenis de oficvojaĝo. Ili troviĝis ne nur sur lia somera subĉemizo, sed ankaŭ sur lia vintra. La kvalito de la vintraj haroj estas la sama, kiel de la someraj. Ili estis tiel longaj, ke ili povas atingi de la verto ĝis la ŝultro. La haroj, kiuj ne estis tinkturitaj, estis diketaj kaj briletaj. Ili aspektis bone nutritaj kaj fortaj ĝis la fino. En la somero ili estis rekte frizitaj, sed en la vintro onde frizitaj. Kiam mi eltiris per miaj ungoj la haron, kiu troviĝis inter ŝnureroj de lia vintra subĉemizo, tiu haro sinmovis elastiĝinte sur la varma planko. En mia kapo aperis fantomo de nuda virino, kiu estas juna kaj sana. Mi sentis, ke ŝi ne estas iu virino kun propra nomo, sed aŭ fora praulo de la gento nomata virino aŭ tuta virinaro, amasiĝinta de ĉiuj anonimaj virinoj, kiujn mi ne konas. La virino en fosilio elkuris al la mondo, kaj nun moviĝis en la formo de unu haro antaŭ mi. La fantomo tuj malaperis. En la loko, kie solviĝis la fantomo, restis nek kolero nek malĝojo, sed nur malpleno de la tempo trapasinta. Kiam mi prenis du harojn per glubendo kaj enmetis ilin en rubujon, mi sentis malvarmon ĉe mia nuko.

Dum mia edzo ofte kunportis la longajn kaj briletajn harojn, kaj dum la formo de tiuj haroj ŝanĝiĝis de la rekta al la onda, mi vizitadis lian hejmlokon por partopreni aŭ en kultoj al liaj forpasintaj patro kaj avo en la datreveno de ilia morto, aŭ en geedziĝaj ceremonioj de lia kuzo kaj de lia dua kuzo. Kaj mi, vestinte min per korea kostumo, vizitis lian hejmlokon en ĉusok* kaj seol*. Lia hejmloko estis en malgranda urbo, kiu situas inter montoj en la provinco Kyeongsangbukdo. En la urbeto lia plej aĝa frato loĝis kune kun sia patrino, kiu frue fariĝis vidvino, kaj servis trigeneraciajn kultojn. Lia plej aĝa frato, kiel estro de la familio, konservis sian dignon per proprietaĵo, kiun li akiris vendinte siajn hereditajn agrojn kaj forstojn. Li klare sciis pri ĉiuj aferoj de la familio, t.e. ies bofilo fariĝis aktisto, aŭ ies nevo direktoro; iu fariĝis sekciestro aŭ komerca ataŝeo ktp; la nove postenigita guberniestro estis unu el la samklasanoj de lia mezlernejo kaj edziĝis al lia malproksimparenca fratino, kaj ke la guberniestro havis tri filojn, kaj lia dua filo kaj la unua filo de mia plej aĝa bofrato lernis en la sama supera mezlernejo. Tiajn rakontojn mi aŭdis de mia plej aĝa bofrato iam en kulta tago de forpasintoj.

Kiam mia edzo vizitis sian hejmlokon, li ĉiam prunteprenis de sia kompanio nigran ok-cilindrmotoran aŭtomobilon, kiu estis uzata por akcepti gastojn de la kompanio, kaj igis dungiton de la kompanio ŝofori la aŭton. Mi kaj mia edzo sidante flanke ĉe flanko sur malantaŭa sidloko en la aŭto, vizitis lian hejmlokon.

"Jaron post jaro vi aspektas pli bela en korea kostumo. Vi estas tiel bela, ke vi ne povus naski filon..." diris mia bopatrino, premante miajn manojn, antaŭ du jaroj, kiam mi eniris en la korton en la datreveno de la morto de mia boavo. En la korto mi, ĉirkaŭliginte mian jupon ĉirkaŭ la talio per ĉifita kravato, fritis per oleo de sovaĝa sezamo la patkukojn el fiŝoj, kapsikoj kaj bovhepato. La viroj de la familio kolektiĝis en la ĉefa ĉambro kaj troige ridadis jen kritikante la plibonigan politikon por akvokonduko de la gubernia oficejo, jen rakontante la aĉajn agojn de socie sukcesintaj nevoj, iam en la juneco. Ĉiufoje disŝprucis oleero, kiam mi enverŝis la fritotaĵojn en la paton, eble pro la kruda miksiĝo de tritikfaruno. Mi turnis mian kapon por eviti la varmegajn gutojn de oleo.

"Vi plu kirlu la miksaĵon. Kaj malaltigu la fajron antaŭ ol enverŝi la fritotaĵon en la paton."

Sidante sur la verando de la ĉambro kontraŭ la interna, tion diris mia bopatrino, kiu ne povis malsupreniri al la korto pro genua artrito.

Ĉe la familio de mia edzo ankoraŭ restis la kutimo nomata 'liveri manĝaĵojn'. Kiam parencoj revenas al sia hejmo post la kulto, la ĉefa familio disdonas al ili pakojn de diversaj kult-manĝaĵoj. Kaj la parencoj donas al la bofilinoj de la ĉefa familio, kiuj preparis la kulton, koverton kun aŭ kvindek mil ŭonoj aŭ cent mil ŭonoj da mono. Tio havas la signifon ne nur konsoli ilin pro la suferoj, sed ankaŭ malpezigi la kultkoston de la ĉefa familio. Tial la manĝaĵoj ĉiam devas esti pli multaj, ol tiuj kvantoj surmetitaj sur la ofertabulon al la prapatroj.

En tiu tago, mi fritis patkukojn per oleo el sovaĝa sezamo en la korto ĝis la vespero. La patkukoj plene amasiĝis en du bambukorboj. Dum mi fritis ilin antaŭ la kuirforno hejta per butano, kiam ajn la pordego malfermiĝis kaj envenis parencoj de mia edzo, mi rapide ekstaris kaj riverencis al ili. Iu maljunulo, pri kiu mi ne povas memori en kiu linio de parenceco li staras, respondis je mia saluto:

"Kial vi neniam maljuniĝas? Nun vi devus aspekti iom pli maljune, ĉu ne?"

Kaj iu alia malproksima parenco, kiu venis apogita de junulo diris al mi:

"Vi estas la edzino de Yunsik, ĉu ne? Ĉu Yunsik estas administranta direktoro de chaebeol-kompanio*? Vi estas tre bela. Vi multe laboris por la patkukoj. Ĉar nunjare oni riĉe rikoltis, bone odoras la oleo de sovaĝa sezamo."

Fume odoris la oleo, eble ĉar oni tro forte hejtis la fornon, kiam oni rostis la semojn de sovaĝa sezamo. La sezamoleo estis tro densa, tiel ke kiam mi enmetis unu pecon da haketita krudfiŝo kovritan per tritikpasto, en la paton ŝmiritan per la oleo de sovaĝa sezamo, antaŭ ol ĝia centro estis kuirita, ĝia rando estis tro fritita kaj fumis. La vaporo de bolanta oleo de sovaĝa sezamo odoris kiel sekiĝanta rizpajlo, kaj la fumo de brulanta oleo de sovaĝa sezamo odoris kiel rostantaj sunradioj. La oleodoro plene penetris en miajn harojn kaj korpon, sed mi ne povis kompreni, kio estas la substanco de tiu odoro. Kio ĝi estas? Kiel mi difinu ĝin? Estis la odoro, kiu mutigas min, kiam mi ree provis paroli, apenaŭ eltirante kelkajn vortojn el mia korpo. La olea odoro rememorigis al mi la printempajn tagojn, kiam mi gravediĝis je Yeonju, en kiuj mi deziris manĝi la teron, ŝvelintan de sunradioj. En la odoro de la oleo el sovaĝa sezamo aperis, sed tuj forviŝiĝis, la fantomo de la nuda virino, kiun mi vidis en mia koro, kiam la virinaj haroj portitaj sur subĉemizo de mia edzo, sin movis sur la varma planko, kaj kiun mi sentis aŭ fora praulo de virino aŭ virino en fosilio. Dum mi rigardas la paton, en kiu oleo siblas, mi sentis, ke mia subo maltrankviliĝis, tiel ke mi ne povus reteni mian urinon ĉe la antaŭsento, ke miaj pasintaj[7] tagoj iel nepriskribeble forviŝiĝos kaj eliros. Ĉu tio estis antaŭsento? Mi ne scias, kiel oni diras en la kazo, ke oni malfrue apenaŭ rimarkas, ke jam forpasis la pasintaj aferoj. Mia bopatrino, apogite de

---

7) 时态

lambastonoj malsuprenpaŝante al la korto, diris:

"Mia kara, ligu vian hararon malantaŭe. La oleodoro penetrus en viajn harojn."

"Patrino, mi ĉiukaze devas purigi mian hararon."

"Tamen vi ligu la harojn. Se ne, ili estos damaĝitaj."

Mi, aranĝinte miajn harojn fluintajn malsupren, ligis ilin malantaŭe de mia kapo.

La bopatrino longe suferis pro artrito kaj ostalgio de ostomaldenseco. En sia maljuneco ŝi suferis ankaŭ pro bronkito kaj glaŭkomo. La bopatrino forpasis nokte, kiam ŝi estis dormanta. Verŝajne ne distingeblus dormo kaj morto en ŝia konscio. La tuta familio de mia edzo ŝajnis trankvile akcepti la forpason de la maljunulino, kiu mortis kvazaŭ ŝi ree dormus en sia dormo, elektinte unu el la belaj printempaj tagoj post la degelo de la frosta tero. La korpo de la mortinto, ligita per mortotuko, estis tiel malgranda kiel tiu de infano. Kiam oni kuŝigis la kadavron en ĉerkon, troviĝis tro granda malplena spaco en ĝi. Tial la sepultisto plenigis la spacon ĉe la kapo kaj piedoj en la ĉerko, per rulaĵoj de korea tradicia papero. Dum mia bopatrino estis vestata per mortovestoj kaj fine piedvestata per paperfloraj ŝuoj, mi multe ploris, pripensante la malpezecon de la morto kaj la odoron de sovaĝsezama oleo en la kulta tago al mia boavo. Maljunuloj de la familio, kolektiĝintaj ĉe la funebra ceremonio, laŭdis dirante, ke la bofilino pli elkore funebras la forpasintan patrinon ol la filinoj. Eble ĉar mia bopatrino jam sciis sian lastan tagon, en ĉusok antaŭ sia morto, al sia unua bofilino kaj al mi ŝi disdonis du jadajn harpinglojn, ricevitajn kiam ŝi edziniĝis. Kaj ŝi donis siajn parajn fingroringojn al Yeonju, kiu baldaŭ eliros el la lando. Ekde la juneco, mia bopatrino fojfoje preĝis en templo, kiu situis ĉe transrivera vilaĝo, malgraŭ ke la familio de ŝia edzo hezitis pri tio. Kiam ŝia dua filo edziĝis al mi, ŝi preĝis dum tri tagoj, vizitante la halon de disĉiploj de Budho kaj altaron de la montdio. Post kiam mia bopatrino forpasis, ŝiaj filinoj deziris kulti sian patrinon celebre la kvardeknaŭan tagon post la morto, sed la familio ne permesis tion.

Unu monaton poste de la funebra ceremonio de mia bopatrino, Yeonju flugis al Usono. En la vespero, kiam ni sendis ŝin for kaj revenis de la flughaveno, mia edzo eldiris nian divorcon per la vorto "Pardonu...".

La okazo, kiun li elektis, ŝajne decis. Estis lia konsidero, ke ni divorcu, kiam la gepatroj forpasis kaj la filino forestas, por ke la koroj de la sangorilatantoj ne estu tre forte vunditaj pro nia afero. Mi do ne povis demandi lin, kial ni devas disiĝi. Ĉar mi ne povis respondi, kial ni devas kune loĝi. En tia situacio la vorto "kial" estis tiel senforta, ke mi hezitis eligi ĝin el mia buŝo. Mi sentis, ke ni disiĝas kaj tiel forpasas la tempo daŭranta, kiel tago malklariĝas, pluvas, poste tiu pluva tago vesperiĝas kaj pluvas ankaŭ nokte. Tial al mi aŭdiĝis konvene, ke li komencis eldiri la divorcon per trisilaba vorto "pardonu....". Ankaŭ mi volis respondi per la vortoj "jes, mi vidis, pardonu....", sed mi ne povis elbuŝigi la vortojn. Mi lin ne demandis eĉ per unu vorto pri la longaj kaj brilaj haroj, trovitaj sur liaj subĉemizoj, kio ŝajnas al mi decaj lastaj etiketo kaj konduto kiel separatino. Li postulis de mi kaj mi konsentis pri tio, ke ĉiujn procedojn pri la divorco ni traktu per nia interkonsento, ne per procedo de juĝafero; unue ni estu separitaj, ĝis la procedo finiĝos; ni kune respondecu pri la studo kaj edziniĝo de Yeonju kaj tenu dignon kiel ŝiaj gepatroj; ne sciigu pri la separo al iuj anoj de lia kompanio aŭ familio ĝis nia divorco ekvalidos; li pagos por mia vivteno du milionojn da ŭonoj monate dum la separaj tagoj kaj la dividon de niaj posedaĵoj laŭ la divorco ni diskutos poste, sed principe ni traktu ankaŭ tion per interkonsento.

Mia fratino elektis mian novan loĝejon, kiu estis la apartamento staranta ĉe la rivero, direkte al la enirejo de la rivero Hangang. La fratino loĝas en la apartamento en Gimpo trans la rivero Hangang. Mia fratino kaj mi vidalvide loĝis dividite de la rivero. Por viziti min la fratino, kiu ne stiras aŭton, komforte veturis al la nove aĉetita apartamento per aŭtobuso aŭ taksio. La apartamento, kiu vastas ĉirkaŭ 43 kvadratajn metrojn, kostis cent dudek milionojn da ŭonoj. Por ĝi mi ne bezonis pagi aldonan monon, ĉar ĝi nevendite restis ĉe la konstrukompanio. Mi pagis sepdek milionojn da ŭonoj ĉesiginte la deponon en banko, kaj mia fratino pagis la restan sumon de kvindek milionojn da ŭonoj. La sumo estis entute pli ol du bilionoj da ŭonoj, kiujn mia fratino ricevis pro la morto de sia edzo kiel kompenson de la aviadilkompanio; maldungmonon de tridekjara laborado kaj kompenson de la kompanio; la vivasekuran premiumon; monodonacon por funebra familio. La fratino fordonis la plejparton de la sumo al siaj du filoj, kiuj estis jam plenkreskintaj kaj edziĝintaj, kaj al sia bofamilianoj. Fakte, ŝi ne fordonis la monon al ili, sed estas vere, ke ili per devigo forprenis ĝin de ŝi. La fratino ĉiam traktis onin kun respekto kaj ne povis kvereli kontraŭ iu ajn pro monproblemo. Ŝiaj filoj postulis siajn porciojn je la nature donitaj rajtoj, kaj ŝiaj bogepatroj forprenis la monsumon, forpelante sian vidviniĝintan bofilinon, kiel neparencon. Poste oni diris, ke en la funebra solenejo, la edzofamilianoj forprenis ĉiujn kovertojn kun monodonaco por la funebra familio, dum ŝiaj filoj, kiel la ĉefaj funebruloj, akceptadis gastojn.

Revenvoje de la monto, post la tria oferservo depost la entombigo de la forpasinto, la du filoj de mia fratino, kaptinte la gorĝkolumojn de siaj kuzoj kverelis unu kun la alia, postulante la duonon de sumo de la monodonaco por la funebra familio, tamen mia fratino ne direktis eĉ sian rigardon al tiu sceno. La fratino estis malsupreniranta lasta de la partoprenantoj, mi tenis sunombrelon super ŝia kapo. Kiam ŝiaj filoj ekkverelis antaŭ ŝi, la fratino turnis sin malantaŭen kaj restis stupora rigardante la ruĝan tombon de sia edzo, kiun oni ankoraŭ ne kovris per gazono. La fratino ne ŝminkis sian vizaĝon per kosmetikaĵo krom fundamenta kremo. Tial ŝia vizaĝo terure elmontris sulkojn de maljuniĝo. Ŝia vizaĝo, rigardanta al la tombo, aspektis tiel danĝere, kvazaŭ ŝi ne kapablas elteni la rigardon de la mondo renkontatan sur ŝia vizaĝo. Deprenante herbsemojn sur ŝia funebra jupo, mi maltrankviliĝis, ĉu fiziologia sango ankoraŭfoje elfluus el ŝia korpo. La kverela sceno pligrandiĝis pro interveno de malproksimaj parencoj de ŝia edzfamilio. Laŭ la alia pli longa vojo mi, akompanante la fratinon, malsupreniris de la monto.

La kvindek milionoj da ŭonoj, per kiuj mia fratino helpis min aĉeti la novan apartamenton, estis parto de la restanta sumo, kiun ŝi apenaŭ prenis tiel perdinte plejparton de sia havaĵo heredita post sia edzo.

Kiam mi transloĝiĝis, mi bezonis ses milionojn da ŭonoj por aĉeti etajn fridujon, aeroventolilon, tablon kaj ŝrankon konvenajn por malvasta apartamento, por kiuj mia fratino pagis la tuton. Ŝi, vizitinte agentejojn de la aĵoj, antaŭpagis la kostojn, por ke oni liveru ilin en la tago, kiam mi transloĝis al nova apartamento. Ŝi ornamis la verandvitrojn de mia apartamento per lintolaj kurtenoj kun vinberdesegna punto ĉe la rando, kaj aĉetis por mi du botelojn da sojsaŭco, por ke mi salgustigu miksrostante sekajn engraŭlojn kaj verdajn kapsikojn. En mia transloĝiĝa tago, ŝi aĉetis por mi antaŭtukon el tente volviĝanta kotontolo. Ĉar ĝi ne havas poŝon kaj estis ronde fortondita ĉe la brusta parto, do ĝi ne aspektis kiel antaŭtuko, sed kiel noktoĉemizo aŭ subjupo.

"Fratino, ĉu ĝuste ĝi estas antaŭtuko?"

"Kion vi diras? Ĉu ĝi ne plaĉas al vi?"

"Ĝi aspektas kiel subjupo."

"Se estas tiel, portu ĝin kiel subjupon."

La fratino, kaŭre puriganta la plankon de la ĉambro per malseka viŝtuko, ridis rigardante supren al mi, kiu min vestinte per la antaŭtuko staris antaŭ la kuireja tablo. Ŝia rido fandiĝis, iom skuinte nur la supraĵon. La rido sonis tiel soleca, ke mia brako, rostanta verdajn kapsikojn, perdis forton.

Ĉe la vespero, kiam ni ordigis la translokitajn objektojn, mia fratino kaj mi sidis vidalvide ĉe la tablo antaŭ la verando, sur kiu mi metis du glasojn da ruĝa vino.

"Franjo, ĉu tiu ĉi apartamento estas sur la oka etaĝo? Ĉu ĝi havas dek kvin pjong-ojn*?"

"Ne, fratino, ĝi estas sur la naŭa etaĝo, kaj dek tri pjong-oj."

"La rivero estas tiel vasta, ke la apartamento aspektas kiel ĉirkaŭ cent pjong-oj."

La fratino, ronde skuetinte la vinglason, flaris la odoron de la vino kaj lekis la ruĝan sukon sur la rando de la glaso.

"Nu, la gusto de vino iom varias. Provu trinki."

Mi, preninte la vinglason, unue malsekigis mian buŝon kaj per la lango lekis la palaton. La vinaromo disvastiĝis en mian gorĝon. Estis juna vino ne sufiĉe maturiĝinta, kiu pikis per acida gusto.

"Kia ĝi estas? Ĉu ĝi ne knaras? Tro svelta. Osta kaj plata. Ŝajne ĝi glatas fine."

Tiam mi unuafoje eksciis, ke mia fratino iom babilemas vespere. Siajn vortojn, kiuj atingis al neniu, nur ŝi sola komprenis, kaj ili efikis sur ŝin mem. Do ili estis egalaj al nediraĵoj. Mi ne povis interveni en ŝiajn vortojn.

Fine de la enfluejo la rivero grande meandris al la okcidento. Kvankam la maro ne vidiĝis, ĝia forto atingis tiel profunden, ke, kiam la maro sin puŝis supren, la riverakvo fluis inverse en la centron de la urbo, kaj kiam la maro malaltiĝis, la riverakvo elverŝiĝis malsupren al la maro. Kiam la tajdo estis ŝanĝiĝanta al fluso, la malsuprenfluanta riverforto koliziis kun la marforto, kiu inverse fluis supren, kaj riverakvo ekstaris kuspante blankan saŭmon. Kaj je la vespera malfluso, kiam la akvo estis samtempe elsuĉita, aŭdiĝis la retiriĝanta sono de la rivera plandumo. Vespere, kiam la akvo entute elfluis, malsekaj marskoj aperis ĉe ambaŭ flankoj de la malalte kuŝanta rivero, kaj la rivero subite kvietiĝis, kaj nur montris la ostojn de la meandro. Kaj fore de la nevidebla meandro, la fluso ree komencis iom post iom proksimiĝi.

Ĉe la vespero, kiam la rivero malalte kuŝis, la rivero plej larĝiĝis. Malproksimiĝis la montoj trans la rivero kaj penetris ĉielruĝo en la malklaran tempon. Fore de la rivera meandro pli densiĝis la ĉielruĝo. Forirantaj aviadiloj malaperis en la ĉielruĝon kaj envenantaj aviadiloj al Gimpo proksimiĝis el la ĉielruĝo. En la ĉielruĝo la aviadiloj, malaperantaj kaj aperantaj per punktoj, aspektis, kiel la embrioj aŭ la spuroj antaŭ la naskiĝo de aviadiloj. Do la malaperantaj kaj la proksimiĝantaj aviadiloj estis tute samaj.

"Franjo, la aviadilo aspektas kiel fiŝo. Vidu la naĝilojn. Ankaŭ sur la vosto troviĝas naĝiloj. Kiel ĝi povas malaperi, kvazaŭ ĝi penetrus? Ĉu vere en ĝi ekzistas pasaĝeroj?"

Certe, ŝi estis babilema ĉe la komenco de la vesperiĝo.

Ĉu tiu viro revenis al sia hejmo portante la harojn de mia ĵerzo, kiu estas farita el haroj de ankara kuniklo? Ĉu kelkaj haroj, kiujn lia edzino eltiris el la subĉemizo de sia edzo, sin movis sur la varma planko de lia domo?

Se mi provas nomi tiun viron 'li', mi sentas, ke li havas nenian rilaton al mi kaj li estas nenio al mi, kiel la memoro de vomemo pro gravedeco. Se mi provas nomi tiun viron 'li', mi sentas lin kiel aŭ iun viron, aŭ la viron, aŭ unu el la viroj. Se mi provas nomi tiun viron 'vi', ŝajnas al mi, ke li ne estas vivanta 'vi' antaŭ mi, ĉar li ankoraŭ tro foras de mi por fariĝi mia 'vi'. Do, mi vole nevole nomu tiun viron 'li'. Tio povus esti iom pli honesta. Por mi ekzistas nenia elekto alia.

Mi indignas, pro tio ke, kiam mi vole nevole decidis nomi tiun viron 'li', tiu viro sentiĝas al mi tre fremda, kvazaŭ li ne havus eĉ bagatelan rilaton al mi. Ekzistas nenia elekto, ĉar tio ne elteneblas por mi. Mi vole nevole decidis nomi tiun viron 'la sinjoro'. Decidinte tiun viron nomi 'la sinjoro', mi sentas, ke mia indigno iom kvietiĝas. Al mi ekzistas nenia elekto alia, ĉar al mi ekzistas nenia elekto alia.

En la sekva tago post mia transloĝiĝo al la nova apartamento, mi renkontis la sinjoron unuafoje. Li aperis antaŭ mi, dum mi procedis pri la forlasoj, kiam mi sendis mian filinon Yeonju al Usono kaj disiĝis de mia edzo. La sinjoro aperis kaj proksimiĝis al mi, sed mi ne scias, kiom li proksimiĝis al mi.

La universitato en Usono, kie Yeonju studos, estis decidita kelkajn tagojn antaŭe de mia transloĝiĝo al nova apartamento, Laŭ la proceduro eniri la universitaton necesis la dokumentoj finance garantii por ŝi. Yeonju diris al mi, ke mi sendu per ekspresa poŝto la angl-lingvan atestaĵon de ŝia patro kiel dungito de la kompanio, kaj ankaŭ la kvitancojn de liaj lastaj du-jaraj enspezimpostoj, origine pagitaj de la kompanio. Ŝia voĉo, kiu telefone venis de trans la maro, estis tre buita pro la allogo de nova universitato kaj de fremda kurioza futuro.

"Panjo, tiu ĉi universitato apartenas al la ivy League kaj ĝi estas unu el famaj universitatoj en nordorienta Usono. Ĉiuj konstruaĵoj el marmoro estas malnovmodaj pro la longa historio, kaj okcidentaj geknaboj estas tre belaj. Panjo, vi provu viziti ĉi tien en la venonta jaro."

"Kara mia, ankaŭ mi, via panjo, jam scias la ivy League. La lasta nobelpremiito pri ĥemio aŭ pri medicino estas profesoro de tiu universitato, ĉu ne? Temas pri la profesoro, kiu studis identecon de odoro."

Mi iam legis en ĵurnalo la artikolon pri la rezulto de lia studado, ke odoro estas patricita en onia nekonscio, kaj revigligas al oni malklarajn memorojn.

"Panjo, ĝi estis medicin-ĥemio. Mia studfako estas sama kiel tiu de la profesoro. Kiam mi eniros en post-universitatan kurson, mi povos lerni de tiu profesoro."

"Ĉu ankaŭ vi studos pri odoro? Estus malfacile."

"Ho, panjo, studi odoron estas tro malfacile. Studfakon mi ne decidas nun."

"Jes, vi decidu ĝin poste. Sed, ĉu al vi ne estas maloportunaj la lernejaj tablo kaj seĝo, kaj kuirtablo de via apartamento pro via malalteco?"

"Panjo, vidu la situacion. Ĉu nun gravas tiu afero? Bonvole sendu al mi tiujn dokumentojn. Ĉar la dokumentoj devas esti originalaj, vi do ne sendu ilin perfakse. Sendu nepre per ekspresa poŝto."

"Jes. Ĉu la kvitanco de enspezimposto ne devas esti en la angla lingvo?"

"Estos bone, se la ĝustajn ciferojn kaj pagdatojn montras la dokumento, kiu estas sigelita de la estro de la impostoficejo. Ĉar ĝis nun mia paĉjo pagis multan imposton de sia enspezo, do ne troviĝos ia problemo trapasi la proceduron. Ĉu paĉjo fartas bone?"

"Jes, ĉi tie ni ĉiuj fartas bone. Via paĉjo ĝojos pro la novaĵo, ke vi eniras en la universitaton. Ĝojos ankaŭ via onklo kaj la loĝantoj en la hejmloko de via paĉjo, kaj eble ili postulos, ke ni festenu ankoraŭfoje per patkukoj. La dokumentojn mi, via panjo, sendos al vi."

La atestaĵon de dungito mi ricevos de la kompanio de mia edzo. Kaj la kvitancoj de enspez-imposto pagita de la kompanio, origine el la salajro de mia edzo, troviĝas ĉe la kompanio. Ricevinte la kvitancojn disponigitajn de la kompanio, mi devos ilin konfirmi per sigelo de la estro de la impostoficejo. Mi do telefonis al la kompanio, ankoraŭ ne decidinte, ĉu mi diru pri la afero, aŭ al mia edzo aŭ al iu lia suboficisto. La sekretariino de mia edzo respondis. Ŝi estis lerta kaj sagaca, kaj longan tempon plenumis aferojn inter mia edzo kaj mi. Ŝi do tuj rimarkis mian voĉon.

"Ha, saluton, sinjorino! Ni ĉiuj bedaŭris, ke vi ne partoprenas en la festeno por edzinoj de la kompaniaj direktoroj. Mi estas komisiita transdoni la donacon far la edzino de la prezidanto de la grupo da kompanioj."

Mi atendis, ke la sekretariino unue diru al mi, ĉu ŝi konektu la linion al sinjoro administra direktoro Han, aŭ li nun ne estas en la oficejo.

"Mi aŭdis la novaĵon, ke via filino iris eksterlanden por studo. Bonvolu supozi, ke ŝi jam edziniĝis. Vi sentus vin soleca, ĉar eĉ administra direktoro Han nun oficvojaĝas eksterlande. Hieraŭ li faksis, ke li revenos eble kelkajn tagojn pli malfrue ol laŭ sia starigita itinero."

Mia edzo estis oficvojaĝanta eksterlande. Estis

bone, ke mi ne diris al ŝi konekti la telefonon al mia edzo, ĉar li petis, ke mi igu neniun kompanianon ekscii nian separon. Tio estis oportuna ankaŭ al mi. Mi neeviteble fariĝis ruza.

"Ĉar li forestas, mi petas vin, sekretariino Choi..."

Tiel glate mi ekparolis kaj petis de ŝi la dokumentojn.

"Mi preparos ilin ĝis morgaŭ, kaj ĉar mi jam havas por vi tiun donacon de la edzino de la kompani-prezidanto, mi sendu al via domo la dokumentojn kune kun la donaco, pere de la kompania ŝoforo."

Ŝi mencius la domon, kie mi loĝis antaŭe kune kun mia edzo.

"Ne, tio ne necesas. Morgaŭ mi devas viziti la urbocentron. Tiam mi mem vizitu vin kaj prenu la dokumentojn en la kompanio."

Mi pene solvis la krizon.

"Ĉu? Se estas tiel, bonvole telefonu al sinjoro Kim, la estro de sekcio de personaraj aferoj, kie oni traktas tiajn dokumentojn, kiam vi vizitos la urbocentron morgaŭ. Mi informos lin pri via afero. Vi jam konas sinjoron Kim, kiu estas la sekciestro, ĉu ne?"

"Jes, ŝajnas, ke mi foje vidis lin iam antaŭ longe..."

"Mi estas Kim Sun-gil, sekciestro de personaraj aferoj."

Kim Sun-gil, estas la nomo de la sinjoro. Tiel

komenciĝis nia rilato fine de mia eskedziniĝo. En la tago forte blovis flava sablo. Fore de la rivero sub la verando de mia apartamento, nebula ĉielo disvolviĝis kaj la montoj flagretis en polvo. Densa spaco estis malplena kaj malplena spaco estis densa. Kiam mi staris antaŭ spegulo, ĉirkaŭliginte blankan skarpon sur griza pluvmantelo kun zono, mi aspektis ĝuste kiel bonzo ekmaljuniĝanta. Mi malligis la blankan skarpon, kaj anstataŭiĝis per la purpura. Mi stiris mian aŭton antaŭ la kompanion de mia edzo. La sinjoro jam sidis ĉe la fenestro de malluma kafejo. Li tenis la impreson kvazaŭ birdo staranta per unu kruro pro siaj maldika korpo, longaj brakoj, kruroj, fingroj kaj kolo. Pro lia rigardo, kiu ŝajnis direkti en lian korpon, mi sentis la krizon de ekstermiĝo de tiu birdspeco. Mi iam legis en iu libro, ke la postrestantoj el vintraj migrbirdoj, ne povante reveni al Siberio eĉ en la printempo, vivas ĝisfine inter fremdaj specoj.

La sinjoro ŝovis sur la tablon la de mi petitajn dokumentojn. La fingroj, puŝantaj la dokumentojn, estis maldikaj kaj havas sur si nigrajn makulojn. Mi foliumis tiujn dokumentojn. Sur la kvitancoj de la enspezo-imposto, oni jam stampis per sigelilo de la estro de la impostoficejo. La sinjoro diris:

"Via filino jam tiel kreskis. Mi memoras, ke mi brakumis ŝin en la unua datreveno de ŝia naskiĝo. Ŝajne vi ne memoras min..."

Se temas pri la unua naskiĝtago de Yeonju, estis la tagoj, kiam mi loĝis en ludomo en Jangwidong. Tiam la junaj kolegoj de mia edzo vizitis kaj trinkis alkoholaĵojn en mia domo. Mi ne povas memori lian vizaĝon de antaŭ dudek kvin jaroj. Montrante grizan kaj senfortan rideton ĉe siaj lipoj, li diris:

"Mi estis samtempe varbita de la kompanio, kun sinjoro administra direktoro Han. Ni ambaŭ estas dungitaj en la kompanion laŭ la unua publika varbado. Tamen nun mi estas sub la gvido de sinjoro administra direktoro Han."

"Ĉu?!..."

"Jes, tiel iris la afero... spontane."

Tiam mi ekpensis, kiu odoro eltiros mian memoron el lia vizaĝo de antaŭ dudek kvin jaroj. Mi ne povis rememori lian vizaĝon de antaŭ dudek kvin jaroj. Sed mi memoris lian vizaĝon de antaŭ du jaroj, kiam mi devis akompani mian edzon, kiu ricevis anoctabulon de rangaltiĝo al administra direktoro, tiam per rapidemaj paŝoj la sinjoro venis al mia edzo kaj montris dokumenton por konfirmiĝi de mia edzo, kaj la edzo, sidanta sur la podio en la ceremoniejo, kun grimaco sur la vizaĝo, diris:

"...Poste, mi detale vidu ĝin."

Kaj mia edzo redonis ĝin al la sinjoro eĉ ne malferminte la konfirmtabelon. Mi tiel aperis antaŭ la sinjoron, kiel la edzino de lia superulo.

"Se vi donas al mi noton de la adreso de via filino

en Usono, mi mem sendu al ŝi la dokumentojn per saketo al novjorka filio de nia kompanio. Ankaŭ tion respondecas la sekciestro de personaraj aferoj.

"Dankon, sed ne. Mi havas aliajn aĵojn sendi al mia filino kune kun la dokumentoj."

La sinjoro, apenaŭ retenante sian kompatantan mienon pro maloportuneco, zorgis pri mi, la edzino de sia superulo.

Sur lia vizaĝo estis skribita la tuta historio, ke li devis resti kiel la sekciestro, dum mia edzo, kiu samtempe eniris en la kompanion kun li, promociiĝis tra negoca direktoro al administra direktoro. La sinjoro ankoraŭfoje diris:

"Se via filino similas al sia patro, ŝi estos certe aktiva kaj kapabla."

Lia voĉo estis tiel malforta, ke mi dubis, ĉu liaj vortoj estas bondeziroj al mia filino. Li malforte ridis fine de la parolo. Pro tio mi ree sentis la krizon de ekstermiĝo de tiu birdspeco. Mi diris al li, kvazaŭ mi replikus:

"Ne, tute ne. La knabino similas al mi. Ŝi estas timema, kaj havas etan animon. Probable ŝi facile postiĝos."

Lia vizaĝo, preskaŭ ploronta, kolapsis. Mian koron do doloris la memriproĉo, kial mi tiel agis.

"Jen estas la aĵoj al vi transdonitaj de la sekretariejo."

La sinjoro surmetis sur la tablon du

butikumsakojn, kiujn li kunportis. En unu el ili troviĝis Gucci-mansako, kiun al mi donacis la edzino de la prezidanto de la grupo da kompanioj; du invitiloj de prezento de rusa baletgrupo; kaj deko da varkuponoj, kiujn iu sendis al la oficejo de mia edzo. En la alia troviĝis ripoj de korea bovo el la insulo Ulneungdo, kiun sendis al mia edzo iu ĉefo de subkontrakta kompanio. Ĉar mi ne plu estis la edzino de Han Yunsik, kiu estas la administra direktoro de Haeyang-grupo, do tiuj objektoj ne apartenis al mi. Sed mi ne povis redoni ilin al li. Mi forte hontis pri tio. La sinjoro diris al mia honto:

"Sinjorino, por vi estus malfacile kunporti ilin. Ĉu mi sendu ilin al via domo pere de kompania ŝoforo?"

"Dankon, sed ne. Mi veturos per mia aŭto."

La kelnero de la kafejo kunportis tekruĉon. La sinjoro verŝis verdan teon en mian tason. Liaj fingroj estis longaj kaj maldikaj. Teninte la anson de la kruĉo per sia dekstra mano, li subtenis la dekstran manon per la maldekstra, kaj malrapide verŝis la teon iom post iom laŭ la rando de la tetaso. Kiam li verŝis teon, lia figuro kviete koncentriĝis, kvazaŭ tiu de la pastro, plenumanta antikvan religian ceremonion, kiun oni jam forgesis. Estis la kvieto de tiu homo, kiu sensone akceptas ventojn kaj ondojn de la tempo disvolviĝanta fronte al lia vivo. Oni diras, ke la kompanio restrukturos eksigante ĉiujn multjarajn dungitojn. Se estos tiel, — abrupte venis en mia kapo la penso — li, kiu estis dungita de la kompanio kune kun mia edzo, sed ankoraŭ restas kiel sekciestro, havus malmultajn tagojn resti en la kompanio. Eble liaj du manoj verŝantaj teon kaj lia kvieteco igis min pensi tion. Mi volis demandi, ĉu lia edzino laboras kaj kiom da gefiloj li havas, sed mi rezignis. Mi ne povis rememori la vizaĝon de lia edzino, kiun mi foje vidus aŭ en ekskurso aŭ en sportkunveno por familioj de kompanianoj aŭ en la ceremoniejo premii longtempajn dungitojn de la kompanio. Mi trinkis la teon, kiun la sinjoro verŝis por mi. Malforta aromo de fiŝo penetris en mian korpon. Estis aromo sencele disvastiĝanta malalten kaj foren. Mi sentis, ke la sinjoro aperis antaŭ mi, kvazaŭ vespera aviadilo proksimiĝas al mi kiel unu punkto el ĉielruĝo. Antaŭ ol la sinjoro pli alproksimiĝos, mi ekstaris de la seĝo. Mi ĝisis klinante mian kapon al lia rigardo sendefenda.

"Pro la dokumentoj, mi dankas vin."

"Bonvole telefonu al mi, se vi bezonos ion ajn ordoni, kiam sinjoro administra direktoro Han forestos. Estas por mi pli malfacile servi sinjoron Han, ĉar li estas la kolego samtempe dungita kun mi, de la kompanio."

Liaj vortoj ne aŭdiĝis al mi kiel kutimaj flataj vortoj, sed li parolis la vortojn tre malfacile. La sinjoro, kun la du butikumsakoj en siaj manoj, akompanis min ĝis mia aŭto. Kiam la motoro ekfunkciis kaj la aŭto moviĝis, li riverencis al mi, la edzino de sia superulo de la kompanio. Kiam lia longa talio kurbiĝis, aperis en mia kapo la bildo, ke birdo, staranta unukrure, lekas siajn subflugilojn klininte la bekon.

Sur la revenvojo al mia hejmo laŭ apudrivera vojo plidensiĝis flava sablo. En flava polvo ŝvebis la lumoj de la malantaŭaj lampoj de aŭtoj, kiel tiuj de lampiroj. La trafika radioelsendejo anoncis, ke ĉesis ekflugo kaj surteriĝo de aviadiloj kaj okazis obstaklo en la komuniko de sendrata telefonio. La aŭtoj, kiuj apenaŭ sekvis la lumojn de la postaj lampoj de la antaŭa aŭto, malrapide fluis kiel longa vico da blinduloj.

Siblis en mia koro sencelaj vortoj: "Birdo kun longaj kruroj, ne proksimiĝu al mi, sed flugu al Siberio. Ne tiel staru tie per unu kruro. La ejo ne estas la via..."

Kiel vanaj estas la vortoj! Aŭ Siberio aŭ Alasko; kiu ajn estas la loko; ĉu la loko ekzistas sur la tero aŭ ne. Min malĝojigis kaj maltrankviligis tio, ke la sinjoro tiel devas stari portempe unukrure, antaŭ ol reiri al iu nekonata loko. Mia malĝojo rilatis al nenio. Mia malĝojo rilatigita al nenio estis tiel abrupta, ke mi estis tute senhelpa. Sur la malklara apudrivera vojo pro flava sablo, la malĝojo, kolektita ĉe mia maleolo, malpacience deziregis forte premi la akcelilon.

Tiel komenciĝis nia afero. Ĉe la fino, kiam mi disiĝis de mia edzo kaj sendis mian filinon al Usono, la afero elstaris el la kirlakvo. La afero, kvankam nek rilatigita nek hazarda, tamen ne estis evitebla. Ankaŭ tiam, kiam lia korpo plenplene ondadis, vagis kaj rotaciis en mia korpo, mi sentis la sinjoron kiel birdon starantan ĉiam per unu kruro.

En la nova apartamento, pasis unu tago, kiam la fluo de la rivero renversiĝis dufoje. La sono de la rivero fluanta al la urbocentro estis furioza, kaj tiu al la maro estis morna. La lumoj disĵetitaj sur la riveron ne estis malsamaj en la mateno kaj en la vespero, tial la tempo, kiu ne havas nodon, estis sama kiel la rivero de malfluso fluanta al maro.

En la nova apartamento, mia spiro dolorigis min pro la sekiĝo de la naztruoj en ĉiu tagiĝo kaj mi ofte ternis. Kiam terno eksplodis, iom da urino estis eliminata el mia subo. Kiam mi piediris sur ŝtuparo, mi sentis doloron ĉe la genuoj, kaj pezon je la talio.

"Franjo, tio estas sindromo de nove konstruita domo.", mia fratino diris.

Mi laŭte ridis pro tio, ĉu ĝi estas mia nova domo. Eble tio estas la simptomo de klimaktero.

Mi, vizitinte gimnastikejon en la loĝkvartalo, malpeze gimnastikis per kurmaŝino, kaj varmigis la talion sur la planko de ondol* en fajrmufla fomentĉambro. En aparta ĉambro de la fomentĉambro staris nur septoj, kvazaŭ publika necesejo sen pordo, en ĉiu septo estis instalita fersitelo simila al urinujo. Sur la fersiteloj sidis virinoj vestitaj en kitelo, demetinte siajn kalsonetojn. Sekigitaj gnafalioj estis bruligataj en la fersiteloj. La trejnistino de la varmegĉambro klarigis, ke la fumo de brulantaj gnafalioj penetras en la vaginon, kaj plifortigas la funkcion de muskla kuntiro kaj sekrecio en ĝi, kaj akvumas en la vagino.

"Sinjorino, plene malfermu viajn femurojn."

La trejnistino korektis teniĝon de la virinoj. La virinoj, ŝmirinte sian vizaĝon per masaĝmaterialo sidantaj sur fersiteloj, aŭ dormetis aŭ maĉis gumon. Mi fojfoje sidis sur fersitelo en la sekvaj tagoj post kiam la sinjoro vizitis min, ĉar mi ofte sentis doloron en mia vagino. Sed tio ne efikis. La seksumo de la sinjoro ne tiel furiozis. Li envenis profunden en mian korpon, kvazaŭ li enpikus kolonon, kaj longe ne movis sian korpon. Mi ankaŭ ne movis min, akceptante lian korpon per malfermo de miaj femuroj. Trans la verandfenestro aŭdiĝis la sono retiriĝanta de la rivera plandumo en frumatena malfluso. Unukrure staranta birdo sur malklara marsko estis kvieta en mia koro. En mia koro aperis la iluzio, ke mi, brakumante la birdon, drivas laŭ la akvofluo al la maro. Dum mi estis akceptanta lian korpon kaj li plene plenigis mian korpon, mi ne sentis ian doloron. Sed la loko, el kiu la sinjoro eltiris sin, dolorigis min kaj susuris pro sekiĝo.

Posttagmeze mi ofte, akompanante mian fratinon, vizitis ĉiovendejon kaj tagmanĝis kune kun ŝi. Post la unua horo posttagmeze, kiam homoj ne svarmis en la restoracio, ni malrapide manĝis dum pli ol du horoj. Mia fratino, kiu havas delikatan apetiton, bezonis iom longan tempon por elekti la menuon. Foje, demandinte kelneron pri la materialoj de la manĝaĵoj kaj pri la specoj de saŭcoj kaj pri la grado de bojligado, ŝi eliris el la restoracio kaj serĉis alian restoracion. Iutage ŝi provis elekti vestojn kaj kosmetikaĵojn dum duontago, sed tamen ŝi revenis nenion aĉetinte. En la nova apartamento pasis unu tago, kiam la fluo de rivero renversiĝas dufoje. Kiam la akvo elfluis, la rivero malalte kuŝis. Kiam la akvo inverse fluis supren, la rivero ŝvelis ĝis la urbocento, kie staris ĉiovendejoj kaj hoteloj.

Aŭtune, mia edzo estis promociita de administra direktoro al ĉefdirektoro de la kompanio, sed la sinjoro estis maldungita. Ekde la sekva tago post kiam li fariĝis ĉefdirektoro, mia edzo eksigis la dungitojn, kiuj estis maljunaj kaj postiĝintaj. La sinjoro estis en la unua vico. Mi aŭdis, ke la sinjoro petegis mian edzon, ke li restigu la sinjoron plu en la ofico almenaŭ du monatojn, ĝis la edziniĝa ceremonio de lia filino. Sed mia edzo diris al la sinjoro, ke li akceptos la rezignon post du montatoj, sed tamen nun la sinjoro finaranĝu siajn aferojn kaj tuj transdonu la oficon al la posteulo. Post la vespera seksumo, la sinjoro en piĵamo, sidiĝinte ĉe la tablo antaŭ la verando, ekparolis pri sia maldungiĝo. Lia voĉo estis malalta kaj kvieta, kvazaŭ li dirus pri aliula afero. Mi, vidalvide sidanta kun li ĉe la tablo kaj trinkante vinon, rigardis lin, ĉu miaj haroj ne metiĝis sur lian subĉemizon. Por la sinjoro ne restis maldungmono en la kompanio, ĉar li anticipe ricevis ĝin, kiam li aĉetis domon. Kiam la sinjoro donis la leteron de rezigno, mia edzo donis el sia monujo al li kvin milionojn da ŭonoj kiel konsolmonon de forlasanto. La sinjoro diris, ke li uzos la sumon dote por sia edziniĝonta filino.

Dum la sinjoro malrapide daŭrigis la vortojn, mi verŝis vinon en lian glason. Kvankam mi deziris verŝi vinon tiel koncentriĝe kaj kviete, kiel la sinjoro verŝis teon por mi, tamen mi ne povis imiti lian geston. Turninte sian kapon al la rivero, li diris:

"Estas malfacile edzinigi filinon sen la panjo."

La enfluejo de la rivero aspektis ŝvelanta, ĉu la rivero refoje returniĝos. Fora loko sur la rivero direktanta al la tero, brilis ĉe la vespera sunlumo.

"...La panjo, kial...?" La starigotan demandon mi englutis. Li daŭrigis:

"La panjo de mia filino mortis, dum ŝi naskis la

duan bebon. Pro akcidento de sangtransfuzo. Estis afero antaŭ longa tempo."

Ĝis tiam, mi ne demandis lin pri lia edzino, kaj ankaŭ li ne diris al mi pri sia edzino. Ĉu mi evitis malĉastecon, ĉar lia edzino mortis antaŭ longe? Ĉu mi povas esti pekliberigita eĉ de la aferoj okazintaj, dum mi ne sciis, ke lia edzino jam mortis? Mi demandis min, sed mi forviŝis tion, ĉar la demando neelteneble afliktis min. Kiam mi nomis nian rilaton amo, aperis antaŭ miaj okuloj malflusa marsko, sur kiu la akvo de rivero jam estis forfluinta. Eĉ la vorto 'morto' estas vane kreita de la homoj, tial ŝajnis al mi, ke lia edzino estas nemortinte vivanta, kaj kuracanta sian subon per fumoj de gnafalioj sur la fersitelo de iu fomentĉambro proksime de sia vilaĝo aŭ rigardus la harojn de ankara kuniklo, kiuj estis enmetitaj sur la subĉemizo de la sinjoro.

"Estas malfacile prepari la necesaĵojn por edziniĝonta filino."

"Ekzistas agentejoj koncernaj al nupta afero. Estus facile peti de unu el la agentejoj."

Depost la maldungiĝo, la sinjoro vizitadis min eĉ tage. Mi ankoraŭ zorgis miajn harojn surmetatajn sur lian subĉemizon kaj mi ne povis vesti min per la ĵerzo el haroj de ankara kuniklo antaŭ la sinjoro. Mia edzo anoncis al mi per letero tajpita per vortprocedilo, ke antaŭ jarfiniĝo, ni plenumu la procedon de eksgeedziĝo kaj ordigu la posedaĵon kaj registrolibron de la familio. Restis ankoraŭ tri monatoj ĝis la jarfino.

En malfrua aŭtuno okazis la festo de la 70a naskiĝtago de mia pliaĝa bofrato. Mia edzo, kiu ne povis sciigi siajn familianojn pri la fakto de nia separo, telefone postulis, ke mi kune kun li partoprenu en tiu festo.

"He, en sekva semajno okazos festo de la 70a datreveno de la naskiĝo de mia frato. Ĉu ni ne devas kune ĉeesti en la festo?"

Lia tono estis ankoraŭfoje tiel kutima, kiel li iam eldiris nian eksgeedziĝon per la vortoj "Pardonu...". Kvankam la maljunuloj el miaj boparencoj estis laŭ siaj propraj manieroj, ili estis tre bonkoraj al mi kaj ĉiam varme traktis min. Mi esperis, ke mia edzo mem sciigos al ili nian eksiĝon, kaj ke li faru la fakton efektivigita. Kaj mi intencis trakti ilin kiel miajn boparencojn ĝis tiam. Mi pensis, ke tio estos oportuna al ni ĉiuj.

Sed mi ne plu volis plenumi la laboron friti patkukojn per oleo el sovaĝa sezamsemo en ilia korto en la antaŭtago de la festo. Mia edzo proponis, ke ni renkontiĝu en la festotago en la vilaĝo de la gubernioficejo kaj kune iru al domo de la bofrato. Mi konsentis pri tio.

En la fina aŭtobusostacio apud la gubernioficejo troviĝis nigra aŭto kun 8-cilindra motoro, en kiu mia edzo sidis. En tiu tago li mem stiris la aŭton sen ŝoforo. Kiam mi frapetis la pordon de la aŭto, li malfermis malantaŭan pordon.

"Kial vi ne vestis vin per korea tradicia kostumo?...", mia edzo diris, sed mi ne respondis. Mi sidiĝis sur la malantaŭa sidloko de la aŭto, kiun mia edzo stiris, kaj veturis al la domo de lia frato. La edzino de mia malpli aĝa bofrato, kiu jam alvenis en la antaŭa tago, estis fritanta patkukojn en la korto. Plene odoris en la domo la oleo el sovaĝa sezamo. La gemastroj feste vestitaj per kostumo el silko sidis ĉe festotablo en la halo. Ĉar miaj bogepatroj forpasis, al mia bofrato, kiu estis kiel ĉefo el la familio, la parencoj observis la etiketon saman al mia bopatro. Liaj malpliaĝaj fratoj kaj bofratinoj, kvankam ili staras en la sama linio de la parenceco, ĉiuj kune riverencis antaŭ li en la halo, kaj liaj nevoj kaj malpli aĝaj kuzoj riverencis al li sur la pajlmato en la korto. Mi kun mia edzo paralele antaŭeniris antaŭ la bofraton kaj faris riverencon. La bofrato, kiu povus esti maltrankvila ricevi la riverencon de mi, multaĝa bofratino, diris:

"Ho, kiel mi ricevu riverencon de vi, bofratino!..."

Kun la vortoj, ankaŭ li en la sidloko klinis sian kapon al ni. Mi portadis al la gastoĉambroj preparitajn manĝotablojn kune kun iu virino, pri kiu mi ne scias, sur kiu linio de miaj boparencecoj ŝi staras. Kaj mi preparis por la gastoj miksitajn poreojn, kiujn mi prenis en la postkorta kampo, kun peklita fiŝosaŭco.

Ĉe la vesperiĝo mia edzo foriris al Seulo, dirante, ke li havas urĝan aferon en sia kompanio, Mi kun li eliris el la domo per lia aŭto. Kaj ni diŝiĝis en la fina aŭtobusostacio apud la gubernioficejo.

"Ĉu vi volas ĉi tie eliĝi el mia aŭto? Faru laŭ via plaĉo."

Tiam mi komprenis, kial li ne akompanigis sian ŝoforon. Kiam mi eliris el lia aŭto, li ree ekfunkciigis la aŭton direkte al la ekspresa vojo.

Restis la lasta aŭtobuso al Gyeongju. La unua filo de mia fratino, post la edziĝo, ekloĝis en Gyeongju. Tiam okazis la unua datreveno de la naskiĝo de lia unuenaskita bebo. Mia fratino jam vizitis la filon por partopreni en la naskotaga festo de sia nepo. Kaj mi promesis renkontiĝi kun ŝi en Gyeongju. La unua filo de mia fratino estas mia nevo, sed li estis tro matura, tiel ke mi iom hezitis nomi lin nevo. Kvankam li estis senlabora post la diplomiĝo de universitato, tamen li jam stiris alilandan luksan aŭtomobilon kaj malŝparadis monon. Mia fratino tamen ne povis konsili lin pri lia vivmaniero. Post la morto de mia bofrato pro la aviadila akcidento, la kompanio, kie la bofrato estis dungita ĝis la morto, donis al mia nevo, kiu estas la unua filo de la mortinto, la rajton administri restoracion en nove konstruita fabriko, memore al la kontribuo de la forpasinto fondi la kompanion kaj al la morto pro la kompania laboro. Ĉar la fabriko situis en la urbo Pohang, la nevo do ekloĝis en Gyeongju, proksime de Pohang. Pro spertomanko la nevo, dunginte administranton, komisiis al li administri la restoracion kaj nur ĝuis la profiton. Probable li ne malmulte profitis de la restoracio en la fabriko, kie troviĝis pli ol kvin mil laboristoj. La nevo diris, ke li profunde absorbiĝis en historiaj ruinoj kaj budhismaj kulturoruinoj. Kaj li kun kamerao en LandRover-ĵipo, vizitadis la kamparon kaj li instalis eĉ kameron en sia domo. Iutage, kiam la nevo servis en la armeo, li vizitis hejmon kaj trudpetis de sia patrtino kvin milionojn da ŭonoj, dirante, ke ĉar li faligis fusilon en riveron dum la trejnado, li devas kompensi ĝin. Mia fratino, kiu timis ke la filo estos punota pro la eraro perdi fusilon, haste donis al li la monsumon. Poste, mi aŭdis de filo de iama samlernejanino mia, kiu jam finis servi en la armeo, ke soldatoj, kiuj perdis iun municion de la armeo, povus esti en karcerpuno en kazerno, sed ne ekzistas la sistemo en armeo kompensi ian perdon per privata mono. La nevo prenis plejparton el la rekompensaĵo de la morto de sia patro, kiun la aviada kompanio donis al mia fratino, kaj ankaŭ el la maldungmono de sia patro donita de la kompanio. La nevo kverelis kun siaj parencoj, kiuj prenis la mondonacon por funebra familio en la ceremonio, fine havigis al si duonon el la mondonaco. Aŭdiĝis, ke en la sekva tago post kiam la nevo prenis la duonon el la mondonaco por funebra familio, li telefone diris al sia patrino: "Tial virinoj ne rajtas plenumi hejmajn aferojn..."

"Kiel ajn mi pensas, ĝi bone sidas al alta homo. Vi prenu ĝin."

En la tago, kiam ni festis la unuan datrevenon de la naskiĝo de la bebo, mia fratino donis al sia bofilino la Gucci-mansakon. Ĝin la sinjoro transdonis al mi en la tago, kiam mi renkontis lin unuafoje, kun la vortoj, ke ĝi estas donaco far la edzino de la prezidanto de la grupo da kompanioj. Kiel ajn mi pensis, ĝi ne apartenis al mi. Do mi donis ĝin al mia fratino, mensogante ke iu amikino donacis ĝin al mi post sia vojaĝo en eksterlando. Ĝi estis emajlita somera mansako.

"Ha, estas la stilo de Jacqueline!"

Provante porti la mansakon sur sia ŝultro, la juna bofilino de mia fratino iel-tiel rigardis sin antaŭ spegulo. Tiu mansako estis fama, dank' al Jacqueline Kennedy, kiu kutime portis ĝin en amikiĝaj kunvenoj, kiam ŝi estis la edzino de la usona prezidento. Tiu mansako havas sur si la stilon mole kurbigitan kaj longan ŝnuron. Vidante la edzinon de mia nevo, kiu staris antaŭ spegulo, mi sentis, ke la Gucci-mansako finfine atingis tiun, al kiu ĝi estas plej konvena.

La bebo, kies unuan naskiĝtagon ni festis, estis viro. La bebo rapide kreskis, tiel ke ĝi jam paŝis ŝanceliĝante je tri aŭ kvar paŝoj, kaj ade murmuris. Ĉe la manĝotablo mia nevo senĉese klarigis la signifon de la fondo de la templo Hwangnyongsa, la proporcian kaj simetrian belecon de la turo Seokgatab, la belecon de reliefigita fluganta figuro de ĉielhomo sur la sonolilo Emille*, la signifon de la modelado, kiun la tri-etaĝa ŝtonturo de la templo Kameunsa havas en la evoluo de la korea ŝtonturo. Mia fratino kaj mi nur aŭskultis liajn rakontojn. Sur la muroj de kuirejo kaj salono pendis paneloj kun fotaĵoj de la historiaj ruinaĵoj, kiujn la nevo mem fotis.

Ĉe la vespermanĝotablo, peco da karno de konkulo, kiun la bebo manĝis per sia mano, restis fiksita en la gorĝo de la bebo. La sufoka bebo kun ruĝiĝinta vizaĝo eĉ ne povis plori, sed nur baraktis. Ĝia juna patrino ne sciante, kiel fari, ekkriegis, kaj la patro haste vokis telefone la savgrupon 119. Mia fratino rapidege ĉirkaŭprenis sian suferantan nepon, malfermis la buŝon de la bebo kaj enmetis siajn fingrojn en ĝin. Sed tiu konkulkarno ne estis malmanĝita, kaj la kruroj de la bebo jam estis torditaj. Mia fratino, ekkaptinte la du krurojn de la bebo per unu mano, levis la bebon, krurojn supren, kaj per alia manplato forte batis dorson de la bebo.

Mi miris pro la forto kaj lerteco de mia fratino kaj scivolis, en kiu angulo de la fratino estis kaŝitaj tiuj forto kaj lerteco. Mia fratino refoje batis la dorson de la bebo, ĝuste tiam la bebo ekvomis la konkulkarnon kune kun nedigestita lakto kaj eksplodis en ploradon. La lakto vomita de la bebo malsekigis la jupon de mia fratino. Mia nevo telefonis al la savgrupo 119, kaj nuligis la elvokon. La bebo kun plena voĉo longe ploris. Mia fratino, lulante la bebon en sia sino, enrigardis en la buŝon de la ploranta bebo. En ĝi jam troviĝis tri laktodentoj, elstarantaj el la rozkolora dentokarno. Ili estis etaj kaj blankaj. Mia fratino kelkfoje premis tiujn dentojn per sia fingro kaj ankoraŭfoje rigardis en la buŝon de la bebo kvazaŭ ŝi estis ravita.

"Franjo, vidu tiujn ĉi dentojn. Ili similas ĝuste al rizeroj."

Mia fratino fiksis siajn okulojn enen de ĝia buŝo, kvazaŭ ŝi rigardus ion foran. Sur ŝia vizaĝo ekaperis rideto, sed ĝi tuj ŝanĝiĝis al nepriskribeble malĝoja mieno. Estis la plej malĝoja vizaĝo el la ŝiaj, kiujn mi vidis ĉe ŝi ĝis nun.

"Kiel ili burĝonas, kvazaŭ ŝosoj!"

Antaŭ ol reveni al Seulo, mi, akompanante mian fratinon, grimpis la monton Namsan en la urbo Gyeongju. Ni elektis grimpi la montvojon ekde Samneung*, sed pro la forta blovado kaj malvarma vetero, ni ne povis atingi la pinton. Ni malsupreniris meze de la vojo. Laŭ la klarigtabulo staranta antaŭ Samneung, mi eksciis, ke tiuj tomboj estas de la 8a reĝo Adala, de la 53a reĝo Sindeok kaj de la 54a reĝo Gyeongmyeong en la reĝlando Silla*. La tri reĝoj devenis de la sama familio Bak. Kvankam sepcent jaroj pasis de la 8a reĝo ĝis la 54a reĝo, tamen samis ne nur la formo de tiuj tri tomboj, sed ankaŭ la aŭtuna sunlumo, kiu brilas sur la tomboj. Estis iom mallume ĉirkaŭ la tomboj pro la kurbaj kaj altaj pinoj, kaj penetris la sunbriloj inter la pinbranĉojn.

"Fratino, tiuj ĉi estas tiel famaj pinoj en Gyeongju."

Mia fratino, ankoraŭfoje per la rigardo al fora afero, rigardis la aŭtunajn sunbrilojn, falantajn inter la pinojn. Mi fotis mian fratinon, stariginte ŝin sur sunbrila gazono inter la arboj. En la serĉilo de la fotilo, la aŭtuna suno ekbrilis sur ŝiaj kapo kaj ŝultroj. Tiu estis la sama aŭtunbrilo, kiu penetriĝis inter la branĉoj de la pinoj en la tempo de la 8a reĝo Adala de la reĝlando Silla.

"Fratino, ridetu."

Ŝi trude provis rideti, kaj mi rapide premis la obturilon, antaŭ ol malaperis ŝia ŝajna rideto. Kiam ni suprengrimpis sur la monton preskaŭ dekkvin minutojn, aperis statuoj de Budho en ĉiuj sunaj lokoj kun bona superrigardo. Ĉar la gravuritaj Budhostatuoj sur rokoj ne estas reliefigitaj, ili do ne aspektis kiel gravuraĵoj, sed similis al pentraĵoj. La vestorandoj de la Budhostatuoj kaj la ridetoj ĉe la buŝoj ne aspektis artefaritaj, sed nature penetrintaj el la rokoj. Laŭ la gravuritaj linioj kolektiĝis sunradioj, kaj la radioj ŝajnis enpenetri en la rokojn. Antaŭ la Budhostatuo, kiu etendis sian malplenan manplaton al la mondo sub la monto, mia fratino diris kvazaŭ al is mem:

"Ho, franjo, vidu tiun vizaĝon kaj tiun manplaton. Kiel oni povas tiel bone pentri, ke do ili aspektas elpenetrintaj?"

Tiam mi maltrankviliĝis, ĉu ankoraŭfoje sangelfluo okazus ĉe mia fratino. Sed ĉe ŝi nenio okazis.

En butiko de memoraĵoj ĉe la enirejo de la monto, mia fratino aĉetis gvidbroŝuron, kiun la Gyeongju Muzeo eldonis por klarigi la historiajn ruinaĵojn. Ĝi enhavis en si budhajn ruinaĵojn, la reĝpalacojn en Gyeongju kaj multajn malnovajn rakontojn en diversaj vilaĝoj. Ŝi, foliumante la paĝojn, montris al mi la libreton kaj diris:

"Franjo, vidu tiun ĉi rakonton. Ĝi diras, ke sub la herbradiko ekzistas la mondo Yeonhwajang*."

Mi rigardis la paĝon, kiun mia fratino montris.

Kiam la bonzo Wonhyo* vivis, en malriĉa montvilaĝo ĉirkaŭ Gyeongju loĝis iu kriplulo, nomata Sabok, kun sia patrino. Kiam la patrino de Sabok mortis, Sabok vokis la bonzon Wonhyo por kune plenumi la funebran ceremonion. Sabok diris al Wonhyo: "Mortis mia maljuna bovino, kiu portis bulgyeong*." La du homoj, portante la funebran palankenon de tiu mortinto, iris al monto. Sabok plukis unu radikon de herbo sur la monto. Tie, kie kreskis la herbo, troviĝis la trankvila kaj pura mondo. Sabok portis la ĉerkon de sia patrino kaj tie entombigis la mortinton.

Tia estis la rakonto skribita sur tiu paĝo. Mi ridegis ĉe la vortoj "Mia maljuna bovino, kiu portis sanktan skribon de budhismo." Kial sankta skribo de budhismo kaj bovino?

"Fratino, kial oni uzas la lastan literon 'gyeong' same en la vortoj bulgyeong kaj weolgyeong*?",subite mi demandis mian fratinon.

"Franjo, kial vi faras tiel abruptan demandon per tiuj vortoj?", ŝi respondis. Jam vesperiĝis en la vilaĝo piede de la monto. Aviadilo aperinta de la flanko de la urbo Pohang mergiĝis en la ĉielruĝon. La fratino rigardis longe la ĉielon, kien la aviadilo estis malaperanta.

"Ni malsupreniru. Estas malvarme."

"Fratino, ĉu vi portos mian skarpon?"

"Ne, mi ne bezonas ĝin. Ĉu vi foje vestas vin per la kaŝmira ĵerzo, kiun mi aĉetis por vi?"

"Jes, fratino. Ankaŭ nun mi portas ĝin ene."

Ni malsupreniris de la monto kaj veturis al la

stacio Gyeongju. Dum ni atendis tie trajnon Saemauel al Seulo, Yeonju telefonis al mia poŝotelefonilo. Ŝia voĉo estis ekscitita.

"Panjo, mia instruisto en la supermez-lernejo en Seulo telefone informis min, ke sur la lerneja ĉefpordo oni pendigis afiŝon pri mia sukceso eniri en faman universitaton en Usono. Li diris, ke ankaŭ via nomo kaj tiu de paĉjo estas skribitaj sur ĝi. Panjo, ĉu vi ne volas viziti la lernejon, kaj foti ĝin?"

"Jes, mi nepre vizitu la lernejon kaj fotu la afiŝon."

Mi ekpensis, ĝis kie nun atingis la fluo de la rivero ĉe mia apartamento. Kaj mi imagis ankaŭ la nigran mallumon, antaŭ ol mi ŝaltas la lampon malferminte la pordon de la apartamento. Antaŭ ol preni la vagonon, mi vizitis apotekon, kie mi aĉetis por mia fratino tranoktan menstruan vindotukon, kaj enmetis ĝin en mian mansakon. Mi, nerimarkite de mia fratino, vizitis la tualetejon kaj telefonis al la sinjoro:

"Mi parolas en Gyeongju. Mi atingos Seulon ĉirkaŭ noktmeze. Ĉu vi bonvolus veni al mi ĉi-nokte?"

La sinjoro, kvazaŭ li atendus mian peton, tuj respondis:

"Jes, mi venos."

Mallumiĝis ekster la fenestroj, kiam la trajno traveturis la urbon Daegu. Sur la mallumiĝanta kamparo forflugis lampoj. Kiam la trajno transkuris la riveron, tra la fenestro vidiĝis alta birdo staranta per unu kruro ĉe la bordo de rivero. Apud mi, mia fratino estis profunde dormanta.

〈El La Lanterno Azia, julio 2006 - majo 2007〉

Notoj

ramjonoj: tuj kuireblaj nudeloj.

ĉusok: korea dankfesta tago, celebrata en la 15a de la 8a monato laŭ la luna kalendaro.

seol: novjara tago laŭ la luna kalendaro.

chaebeol-kompanio: grupo da kompanioj finance kombinitaj.

pjong: mezurunuo de areo (1 pjeong = ĉ. 3.3 m2).

ondol: varma planko.

Emille: ĝia alia nomo estas Seongdeok Daewang Sinjong (sonorilego).

Samneung: tri tomboj.

Silla: unu el la tri reĝlandoj en la Korea Duoninsulo. Ĝi daŭris dum 992 jaroj (57 a.K.-935 p.K.).

Yeonhwajang: la trankvila kaj pura mondo de Ŝakjamunio, kiu estis naskita en lotusfloro. Oni diras, ke la mondo fariĝis el unu lotusfloro, kiu konservas ĉiujn landojn kaj ĉiujn fenomenojn.

Wonhyo: la bonzo Wonhyo (617~686) estis ankaŭ scienculo, kiu popularigis la budhismon en la mezo de la reĝlando Silla.

bulgyeong: sankta skribo de budhismo en la korea lingvo.

weolgyeong: monata sangelfluo en la korea lingvo.

JANG Jeong-Reol(张祯烈)

1961年生于昌原，釜山大学工学部机械工学系毕业，
1988年韩国外国语大学商学研究科商学系毕业。
目前担任国际专业世界语翻译和讲师，担任韩国世界语
协会教育主任，受邀为世界语作家协会会员。
1980年开始学习世界语，先后担任世界语杂志
《La Espero el Koreujo》、《TERanO》、《TERanidO》
的编辑，以及韩国世界语青年协会会长。
　曾任巨济大学客座教授、东部山大学副教授。
目前，他是韩国世界语协会釜山支部通讯
《TERanidO》的主编。
　全球世界语协会儿童文学"年度图书"评选委员会。

Pri la Tradukisto
JANG Jeong-Ryeol(Ombro)

Naskita en Ĉangŭon en 1961, li diplomiĝis ĉe
Busan Nacia Universitato, kaj en 1988, la Sekcio pri
Komerco ĉe la Diplomiĝinta Lernejo de Komerco ĉe
Hankuk Universitato de Eksterlandaj Studoj.
Nuntempe laboras kiel internacia Esperanto-profesia
tradukisto kaj preleganto, servis kiel direktoro de
edukado por Korea Esperanto-Asocio, kaj estas
invitita kiel membro de Esperanto-Verkistoj-Asocio.
Li eklernis Esperanton en 1980 kaj funkciis kiel
redaktoro de Esperanto-revuoj 「La Espero el Koreuj
o」, 「TERanO」, kaj 「TERanidO」, kaj kiel prezidanto
de Korea Esperanto-Junulara Asocio. Li laboris kiel
alvojaĝanta profesoro en Geoje Kolegio kaj lektoro
en Dongpusan Kolegio. Nuntempe, li estas la
ĉefredaktoro de 'TERanidO', informilo de la Busana
filio de Korea Esperanto-Asocio. Universala
Esperanto-Asocio Infana Literaturo 'Libro de la Jaro'
elekta komitato.

译后感言

张祯烈（**Ombro**)

国际世界语作家协会会员

亲爱的读者：

文学给我们带来了各种不同人群的丰富多彩的生活体验
，并且享受着阅读小说的愉快。

《姐姐的绝经》这部小说的作者金勋，是韩国优秀的作家
之一。

小说《姐姐的绝经》曾获得韩国《第五届作家黄顺元文学
奖》（ 2005年)

在颁奖致辞中颁奖委员会是这样评价这本小说的：

"小说《姐姐的绝经》凭借妹妹的视觉和听觉，用极为详
细和犀利的语言描述了两位50多岁的姐姐如何被丈夫抛
弃，以及自私利己的儿女，和毫无遮掩的虚荣。"

在我看来，这部小说通俗易懂，生动而准确地描述了女
性的生活。在女性的一生中，她们的生命周期是，女童
，少女，年轻女子，妻子，母亲，奶奶。

这部作品主要描写的是女人生命周期的另一种生活：一
是寡妇的生活，这是迫不得已的，因为飞机失事而失去
了丈夫；另一种是，由妻子变成了离了婚的妻子，而这

完全是因为自己的丈夫爱上了比自己年轻的情人而导致的。

她们都是中年女性，如果读者中也有这样年龄的女性，她们也一定能够通过这部翻译作品仿佛经历了这种别样的生活。如果读者中有比书中姐姐年轻的朋友，她们可以观察到，主人公应该选择这种生活，还是接受这种生活，亦或在急剧变化的韩国社会中，家庭和婚姻带给她们的彷徨和无奈。

这本小说的译本最初得到韩国世界语协会机关刊物《亚洲灯塔》杂志主编金佑宣女士的推荐，从2006年八月号开始十期连载。

后来，韩国世界语协会会长李永求教授鼓励我以书籍的形式出版世界语韩语双语版。
他强调，出版此书的建议有两点说明：一是对原书作者的授权表示感谢，同时作者被聘为韩国世界语协会的外宣大使，第二是，这
本书的出版也是2007年在首尔召开的韩国第三十九届世界语大会的亮点之一。

在九月份的韩国世界语协会的理事会议上，理事会一致同意出版世界语韩语双语版《姐姐的绝经》一书。

我向原作者表示了深深的感谢还因为他特别为世界语版

《姐姐的绝经》出版写了前言并亲自送到韩国世界语协会办公室，协会秘书长闵绚卿女士用电脑打出电子版由我翻译成世界语。

亲爱的读者朋友，读了金勋先生的这本书，我们能够更加充分了解韩国的现当代文学。还有一个信息是，金佑宣女士将要翻译的《剑之歌》，也是金勋先生所创作的小说，我祝愿她会翻译成功。

看过这本书后，如果您对原作者和译者有任何的建议，批评或者鼓励的话，或者感想，请毫不犹豫地用世界语或者韩语写给我们
（译者的邮箱：suflora@hanmail.net）

2007.10.05

Tradukinte la romanon

JANG Jeong-Ryeol(Ombro)

Membro de Esperantlingva Verkista Asocio

Karaj legantoj.

Literaturo donas al legantoj sperti diversajn novajn kaj fremdajn tipojn el la vivoj de la homoj, kaj ĝui la interesan buntan rakonton. La romanon "Menopaŭzo de la Fratino", verkis romanisto KIM Hoon, unu el la plej aktivaj verkistoj en Koreujo.

La romano "Menopaŭzo de la Fratino" estas premiita de La 5a Literatura Premio de la verkisto HWANG Sun-won(jaro 2005). En la publika parolo de la elekto, kial la elektokomitato elektis tiun ĉi romanon, la elektokomitato opiniis jene:

"La romano "Menopaŭzo de la Fratino" per la voĉo kaj vido de plijuna fratino, tre detale kaj kun atentemo teksis la rakontojn de du maljuniĝantaj fratinoj, kiuj havas kvindekaj aĝuloj, forlason de siaj edzoj, egoismon de siaj filo kaj filino, kaj vantsenton trankvilan tamen klaran."

Se temas pri tiu ĉi romano, mi opinias, ke la romano estas facile legebla kaj samtempe bone respegulita de la vivoj de la virinoj. Virinoj spertas vivi sin laŭ siaj vivperiodoj ; infano, knabino, junulino, edzino, patrino, avino.

Tiu ĉi verko ĉefe temas pri vivperiodoj de du aliaj vivoj: Unu estas vivo de vidvino, kiu devis vivi, perdinte sian edzon pro la akcidento de la aviadilo, alia estas vivo de edzino kaj poste tiu de la eksedzino, kiu akceptas la proponon de fino de la geedzeco, kiun edzo faris por kunvivi kun sia plijuna amatino ol sia edzino. Ili estas mezaĝulinoj. Se vi, legantoj, estus similaj je sia aĝo, vi povas sperti per tiu ĉi traduko kompreni aliajn vivojn. Se vi, legantoj, estus pli junaj ol tiuj fratinoj, vi povas rigardi kiel tiuj fratinoj aŭ elektas sian vivon, aŭ akceptas sian vivon, aŭ suferas sin pro la edzineco kaj pro familio dum rapidege ŝanĝanta socio en Koreujo.

Tiu ĉi traduko jam aperis serie dum 10 fojoj de pasinta jaro (2006) aŭgusta numero ĝis ĉi-jara junia numero de La Lanterno Azia. Tiu ĉi traduko estis proponita de s-rino KIM Uson, prezidanto de la Lanterno Azia, organo de Korea Esperanto-Asocio.

Kaj poste, profesoro LEE Young-Koo, prezidanto de Korea Esperanto-Asocio, telefonis kaj kuraĝigis min eldoni libroforme tiun ĉi tradukon kune kun la originalo. Lia ideo de la eldono havas du signifojn: Unu estas danki la verkinton, kiu volonte akceptis la rolon de ambasadoro de Esperanto-informo de KEA, kaj alia estas pliriĉigi la enhavon de la 39a Korea Kongreso de Esperanto, kiu okazos en oktobro 2007, en Seulo.

En septembra kunsido de la estraro, la estraro de KEA decidis eldoni tiun ĉi tradukon kune kun la orignalo.

Apartan dankon mi esprimas al la verkinto, ĉar li mem skribis la antaŭparolon de la Esperantigita versio de sia verko, kaj en la 1a de oktobro, tion sendis al la KEA, kaj ĝenerala sekretariino MIN Hyeon-Kyeong tajpis, kaj mi tradukis ĝin en Esperanto.

Karaj legantoj, sen la lego de verkaĵoj de KIM Hoon, oni ne tute povas kompreni la nuntempan modernan literaturan mondon en Koreujo. Unu informo, ke eble iam s-ino KIM Uson tradukos "La Kanto de la Glavo", verkita de sama verkisto.

Mi esperas, ke ŝi sukcesos traduki tiun verkon.

Post la lego de tiu ĉi libro, se vi havus iun sugeston aŭ kritikon aŭ kuraĝigajn vortojn aŭ al la verkintoj, aŭ al tradukinto, ne hezitu skribi al mi vian impreson kun eĉ kelkaj frazoj en Esperanto kaj en korea lingvo
(retadreso al tradukinto: suflora@hanmail.net)

5 oktobro 2007

Ombro

我的人生经历

张伟

我于1956年12月28日出生在辽宁省丹东市。1980年毕业于辽东学院英语专业。先后在丹东第三中学，丹东建筑工程学校，丹东电视大学讲授英语。2003年-2006年在北京外国语大学网络教育学院进修学习获得北京外国语大学本科毕业证书和学士学位证书。现居住在中国辽宁省丹东市。

2013年开始自学世界语，先后多次参加韩国日本的国家世界语大会，三次参加国际世界语大会，国际教师世界语大会，国际青年世界语大会，亚太地区世界语大会和中国国家世界语大会。

凭借世界语先后旅游访问朝鲜，韩国，日本，越南，西班牙，葡萄牙，芬兰，斯洛伐克等国家。

我认为，世界语诞生至今已经有一百多年的历史，作为一种语言已经相当成熟，越来越多地得到国际社会的广泛认可。由于世界语的中立性，必将成为重要的国际辅助语，在国际事务和各国人民友好交往中发挥不可替代的独特作用。我将终生为世界语的传播和发展而不断学习和工作。

Pri la Tradukisto

Mi naskiĝis la 28-an de decembro 1956 en la urbo Dandong, la provinco Liaoning. En 1980, mi studentiĝis ĉe Liaodong University specialiĝanta pri la angla. Instruis la anglan en Dandong No. 3 Mezlernejo, Dandong Arkitektura Teknika Lernejo, kaj Dandong TV Universitato. De 2003 ĝis 2006, mi studis en la Reta Eduka Kolegio de Pekina Fremdstuda Universitato kaj akiris la bakalaŭran diplomon kaj bakalaŭran atestilon de Pekina Fremdstuda Universitato. Nuntempe loĝas en la urbo Dandong, Liaoning-provinco, Ĉinio.

En 2013, mi mem eklernis Esperanton. Mi multfoje partoprenis en la Tutlanda Esperanto-Konferenco en Koreio kaj Japanio, kaj trifoje en la Internacia Esperanto-Konferenco, la Internacia Instruista Esperanto-Konferenco, la Internacia Junulara Esperanto-Konferenco, la Azio. -Pacifika Esperanto-Konferenco kaj la Ĉina Tutlanda Esperanto-Konferenco.

Per Esperanto mi vizitis Nord-Koreion, Sud-Koreion, Japanion, Vjetnamion, Hispanion, Portugalion, Finnlandon, Slovakion kaj aliajn landojn.

Miaopinie, Esperanto havas historion de pli ol 100

jaroj ekde sia naskiĝo. Kiel lingvo, ĝi fariĝis sufiĉe matura kaj estis vaste agnoskita de la internacia komunumo. Pro la neŭtraleco de Esperanto, ĝi fariĝos grava internacia helplingvo kaj ludos neanstataŭeblan kaj unikan rolon en internaciaj aferoj kaj amikaj interŝanĝoj inter diverslandaj popoloj. Mi daŭre studos kaj laboros por la disvastigo kaj evoluo de Esperanto dum mia tuta vivo.

ZHANG Wei

翻译后记

我认识世界语已经40年了，而能够认真地开始学习世界语却是10年前从韩国开始的。可以说是韩国的世界语者和韩国蓬勃发展的世界语运动把我带到了世界语的大家庭和世界语国度，使我后半生的生活能够丰富多彩，趣味无穷。

是韩国的世界语者给了我翻译世界语文学作品的动力和出版的可能，这不仅让我欣赏到了世界语文学的魅力，也提高了我的世界语水平。

继第一本世界语侦探小说《谋杀》中文版出版后的热销，釜山世界语协会会长，韩国著名世界语翻译家张祯烈先生又给了我他本人翻译的韩国现代小说《姐姐的绝经期》的世界语版，鼓励我继续翻译成汉语，作为献给全球中文读者的礼物。

带着韩国世界语者的期待，我又一次完成了我世界语道路上的第二篇习作。

在此，再一次感谢我的世界语好朋友，韩国张祯烈先生，再一次感谢韩国世界语出版商吴泰英先生，是他们对世界语的热爱和对我的偏爱才使这本书的问世成为可能。

同时深深感谢我的世界语"小"朋友，中国著名的青年世界语者，四川成都的徐杰先生，在百忙之中义务无私地为这本书做了辛苦的校对工作；深深地感谢辽东学院绘画教授刘同顺博士为本书做了令人耳目一新的封面设计。

再一次感谢中国认识我的世界语者，在我学习世界语的道路上给我的帮助和指导。同时希望广大对中文感兴趣的世界语者，广大的中文读者对本书提出宝贵的意见。

同时我相信，本书的出版，在一定程度上会促进本书的中文读者，对韩国现代文学，对韩国现代社会的进一步认识，更加深刻理解为什么在东亚朝鲜半岛上的这个"小"国，却能在全世界，在各个方面作出令人瞠目的巨大贡献，从而更加热爱这个美丽迷人的国家。

张伟

2023.5.11.于首尔

（联系电话：13904158140，电邮：790862338@qq.com）

Postskribo

Mi scias Esperanton por kvar dek jaroj,   sed diligente lerni ĝin nur komencis de Koreio, antaŭ dek jaroj. Mi povas diri, ke koreaj esperantistoj kaj korea progresa movado de Esperanto portis min en esperantujon. Ĝi kondukis min al mia vivo al diversaj koloroj kaj interesoj.

Estas koreaj esperantistoj, kiuj donis al mi la entuziasmon kaj movforto traduki Esperantajn literaturaĵojn en ĉinan lingvon. Tiu traduko donis al mi pli bona posedanto de Esperanto. Kaj mia Esperanto-posedo boniĝas per ĝi.

La unua traduko de Esperanta detektiva rakonto 《〈Pro Kio〉》 eldoniĝis kaj bone vendis, kunlabore kun Ombro, Korea noma Esperantisto kaj tradukisto.

Denove li donis al mi la korean modernan romanon 〈Menopaŭzo de la Fratino〉, kiun li tradukis en Esperanto kaj kuraĝigis min traduki ĝin en la ĉina kiel la donaco al la legantoj de la ĉina lingvo en la tuta mondo.

Kun la deziro de koreaj esperantistoj, mi denove plenumis la tradukon en ĉina lingvo.

Denove, mi dankas mian bonajn amikojn, - korea esperantisto Ombro, kaj Esperanto - eldonisto OH Tae-young(Mateno), kiu donis ŝancon eldoni ĝin en libroformon.

Ankaŭ mi profunde dankas mian amikon, la faman junan Esperantiston en Ĉinio, XU Jie en Ĉengdu urbo, Siĉuan provinco, kiu korektis la tutajn vortojn kaj frazojn senpage ; ankaux dankas la faman pentriston kaj instruisto en Liaodong Universitato, sinjoro LIU Tongshun, kiu faris la tre bonan kovrilobildon por la mia traduko.

Denove mi volas danki la tutajn ĉinajn esperantisojn, kiujn mi scias, donis la helpon al mi dum mia lernado de Esperanto. Kaj mi esperas, ke la legantoj de miaj tradukaĵoj donos la ideon aŭ kritikon pri la libro.

Ankaŭ mi kredas, ke la libro devas helpi la legantojn pli bone kompreni la korean modernan literaturon, kaj pli bone kompreni, kial la malgrand lando en orianta Azio povas kontribui al tuta mondo la grandan kontribuon en multaj diversaj sektoroj. Tial, pro tiu kontribuo, ni pli amas la belan ĉarman landon Koreion.

ZHANG Wei en Seulo
2023.5.11

(Tel. 13904158140,
Posxadreso: 790862338@qq.com)